Pinocho

CARLOS LOREN-
ZINI, escritor ita-
liano más conocido
por el seudónimo
de CARLOS CO-
LLODI, dió a cono-
cer por primera vez
las aventuras de
Pinocho en el DIA-
RIO DE LOS NIÑOS con el título de
HISTORIA DE UN TÍTERE. Tiempo después, esta historia, a la que se reconoció gran interés narrativo y hondo
sentido espiritual, fué publicada en
libro por un editor, y el simpati-
quísimo muñeco dotado de movimiento y de palabra se hizo famoso
en todo el mundo con sus aventuras
sorprendentes y maravillosas.

PINOCHO es la encarnación ideal
de las más inocentes travesuras in-
fantiles, y sus andanzas, en las que
existe un aleccionador fondo moral,
ofrecen siempre infinitos motivos
de grata amenidad.

Carlos Lorenzini nació en Flo-
rencia en 1826, y murió en 1890.
Dejó escritas otras obras de diverso
carácter.

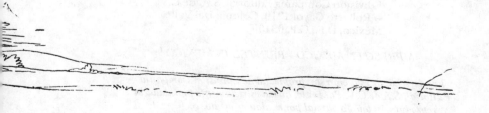

1a. Edición, EDITORIAL DIANA,
S.A. DE C.V. Mayo de 1997

3a. Impresión, Mayo del 2001

ISBN 968-890-192-X

ISBN 968-890-147-4 (colección)

DERECHOS RESERVADOS ©

Copyright © 1952 de la primera edición por Editorial Diana, S.A. de C.V.

Adaptación: E.L. Álvarez
Ilustración de portada: Hermilo Gómez
Diseño de portada: Ernesto Ramírez
Ilustraciones interiores: A. Lisa

Copyright © 1997 Coedición: Editorial Diana, S.A. de C.V. –
Edivisión Compañía Editorial, S.A. de C.V.
– Roberto Gayol 1219, Colonia Del Valle,
México, D.F., C.P. 03100

IMPRESO EN MÉXICO – PRINTED IN MEXICO

CARLOS COLLODI

Pinocho

COMPAÑIA EDITORIAL, S.A.
MEXICO

Empezó a rascarse la cabeza...

Maese Antonio, anciano carpintero a quien todo el mundo llamaba maese Cereza, porque tenía la nariz coloradita como una de esas sabrosas frutas, estaba un día sin hacer nada en su taller, cuando se le ocurrió colocarle a la mesa de su cocina una pata que le faltaba.

Agarró un pedazo de madera que había llegado a su pequeño taller no sabía cómo ni cuándo, y tomando una afilada hacha, púsose a la tarea con la mejor buena voluntad del mundo.

Pero apenas descargó el primer hachazo, sintió una débil vocecita que con tono suplicante exclamaba:

—¡Por favor, no golpees tan fuerte!

Maese Cereza, sorprendido, volvió la cabeza hacia la puerta, suponiendo que de allí había partido la extraña súplica, pronunciada, sin duda, por algún vecino de los que con frecuencia se asomaban para gastarle inocentes bromas.

Pero la puerta estaba cerrada. Miró a la ventana, y vió que en ella estaba dormitando el gato, lo que era inequívoca señal de que tampoco de aquella parte procedía la voz que acababa de oír.

—¡Vaya! — pensó el viejo carpintero —; estoy soñando. Seguiré mi trabajo.

Y tomando de nuevo el hacha y la madera, reanudó su tarea. Pero apenas lo había hecho, cuando la misma vocecita de antes lanzó un *¡ay!* capaz de enternecer al corazón más duro.

Maese Cereza, ya asustado, soltó otra vez el hacha y púsose a dar vueltas al leño, porque se atrevería a jurar que de éste había partido la queja. Pero en seguida recapacitó, como hombre razonable que era, que de un leño insensible no podía partir voz alguna.

—¡Como no sea que haya alguien oculto en el desván o en la cocina!—pensó el preocupado artesano.

Y, ni corto ni perezoso, se encaminó a la cocina, miró en todos los rincones: ¡nada! Subió al desván, movió algunos trastos viejos que allí había: ¡nada!

—Decididamente—resolvió entonces maese Cereza—, decididamente soy un necio. ¡Sólo a mí se me puede ocurrir que voy a encontrar una persona que no existe más que en mi imaginación!

Sin embargo, al volver a tomar el leño para continuar su tarea, empezó a rascarse la cabeza con gesto de grave preocupación mientras se decía:

—Que la voz sonó es indudable. Que no hay nadie más que yo en la casa, también es una verdad que no admite duda. Entonces, ¿salió la voz del madero? Eso habría que creer si no fuese que... ¿dónde se ha oído hablar a los troncos?

Cesó de rascarse. Y empuñando por tercera vez el hacha, resolvióse a trabajar de firme para ganar el tiempo perdido. Concluyó de desbastar el madero y luego lo colocó en el torno para dejarlo bien redondito. Pero apenas le aplicó la cuchilla, otra vez se dejó oír la extraña vocecita:

—¡Por favor, maese Cereza, que me haces cosquillas!

El pobre maese Cereza, convencido de que era el madero el que hablaba, recibió tan fuerte emoción, que cayó desmayado.

Volvió en sí al sentirse sacudido con fuerza por unas manos huesudas, que eran las del señor Geppetto, vulgarmente llamado Polentita, a causa del color amarillo de la peluca que usaba para disimular su brillante calva.

El señor Polentita había ido a visitar a maese Cereza, de quien era vecino, para pedirle un gran favor. Al entrar y ver tendido en el suelo al carpintero, se llevó un susto mayúsculo; por eso empezó a moverlo y llamarlo, y esto hizo volver en sí al pobre hombre.

—¡Ah, eres tú, Geppetto! Menos mal; creí que era el palo — murmuró maese Cereza.

—¿Qué estás diciendo? ¿De qué palo hablas? — preguntó el otro, mirando con desconfianza a su vecino.

—Ven conmigo — le dijo levantándose y llevándolo al lado del banco —. ¿Ves ese madero? Me ha parecido que hablaba, y ésa es la causa de que me haya desvanecido.

—¡Ojalá fuese verdad que habla! ¡Sería mi salvación! — exclamó Polentita juntando las manos y elevándolas al cielo.

—¿Por qué lo dices?

—Porque eso haría mi felicidad, ya que he venido para pedirte un tarugo cualquiera con el que pueda hacer un muñeco para ir a ganarme la vida por los pueblos, pues no hallo mejor manera de encontrar el pan nuestro de cada día. Si el muñeco hablase, excuso decirte qué éxito tendría en todas partes y cómo me hartaría de ganar dinero.

—¡Muy bien pensado, Polentita! — gritó en esto la vocecita que ya había escuchado antes maese Cereza.

Geppetto, al sentirse llamar Polentita, cosa que le disgustaba profundamente, alzó el puño y lo dejó caer en la nariz de su amigo y vecino, creyendo que era éste quien lo había ofendido.

Maese Cereza, viéndose así agredido, replicó con otro puñetazo, y durante unos minutos los dos ancianos se aporrearon de lo lindo. Afortunadamente, como cada uno de los contendientes arrastraba sobre sus hombros una crecida cantidad de años, muy pronto empezaron a ceder en su furia, hasta dejar caer los brazos a lo largo del cuerpo, sin ánimo para seguir la gresca.

—La verdad — dijo maese Cereza — es que parecemos dos muchachos impulsivos. ¡Vaya, démonos un abrazo, y aquí no ha pasado nada!

—Por mi parte... — murmuró Polentita abriendo los brazos.

Y los dos amigos se estrecharon cariñosamente.

—Bueno, tú venías a buscar un pedazo de madera, ¿no es eso? — exclamó después maese Cereza, que veía la ocasión de deshacerse del madero que tantos trastornos le estaba ocasionando.

—Así es — dijo Polentita.

—Pues llévate ése, y ojalá que haga tu felicidad, como deseas.

Geppetto estrechó con efusión la mano de su amigo, se echó al hombro el trozo de madera, y salió más contento que unas Pascuas.

Ya antes de ponerse a hacer su muñeco había elegido el nombre que éste había de tener. Se llamaría *Pinocho,* como un amigo que había tenido en su lejana juventud y del cual conservaba gratos recuerdos.

Con una navaja afilada empezó a labrar el madero; dió comienzo por la cabeza, y cuando apenas había acabado de formarle los ojos, le pareció que lo miraban como si tuviesen vida. Al llegarle el turno a la nariz, esmeróse en hacerla perfecta, pero cuando la terminó, ella em-

Le arrancaba de la cabeza la peluca.

pezó a crecer, a crecer, y tenía un palmo de largo y aun seguía creciendo.

—¡Eh, eh! ¿Adónde vas a parar? — exclamó Geppetto.

Por fin la nariz cesó de crecer, pero ya era mucho mayor de lo que correspondía a un muñeco normal.

Tocó el turno a la boca. Apenas estuvo terminada, salió de ella una carcajada que sorprendió a Geppetto.

¿Sería verdad lo que le había dicho maese Cereza? ¿Hablaría aquel muñeco?

Antes, los ojos; ahora, la boca. Geppetto pensó que su muñeco iba a ser más extraordinario que lo que había creído.

Otra carcajada salió de la boca del títere.

—¡Basta de risas! — exclamó Geppetto. — Ya tendrás tiempo de reírte. Ahora déjame que termine de hacerte, Pinocho.

Al escuchar el nombre que debía llevar, el muñeco sacó la lengua, y este gesto provocó la indignación de Geppetto.

—¿Quién te ha enseñado a sacar la lengua? Debía darte una buena azotaina para que aprendas a ser bien educado...

Una nueva carcajada fué la respuesta del muñeco.

Geppetto quedó un momento indeciso entre seguir la obra o el reto; finalmente, optó por lo primero.

Terminó el rostro; hizo el cuello y los hombros, y antes de fabricar los brazos y las manos, continuó con el pecho y la espalda.

Cuando terminó el vientre, volvió a los hombros para completarlos con los brazos.

De pronto sintió que alguien le arrancaba de la cabeza la peluca que le había valido el mote de Polentita.

Sorprendido alzó la vista y vió al mismísimo Pinocho poniéndose la peluca que le había quitado.

Geppetto dejó a un lado la navaja, y alzó a Pinocho hasta la altura de los ojos.

—¡Desgraciado! — le dijo con voz temblorosa. — ¿Cómo te atreves a faltar al respeto a quien te ha dado la vida? Lo que te digo es que empiezas mal; tienes que corregirte, si no quieres ir a parar a la... Si no quieres que los gendarmes...

Se enterneció pensando en el mal fin que podía tener aquel muñeco que con tanto afán había construído.

—Pinochito — le dijo —: prométeme que serás bueno.

El muñeco agarró la peluca y la colocó nuevamente en la cabeza de Geppetto.

Cuando el pobre hombre acabó de hacer las piernas y los pies de Pinocho, sintió en la nariz un puntapié.

Geppetto tiró al suelo al descastado títere.

Y levantó el pie para aplastarlo. Pero Geppetto no tenía de malo más que los arranques. Así, en vez de golpear a Pinocho, lo levantó del suelo y empezó a enseñarle a caminar.

En pocos minutos aprendió Pinocho a andar a la perfección. Tan bien, que Geppetto lo dejó solito, y se retiró unos pasos para ver cómo caminaba. Pinocho aprovechó la ocasión para lanzarse a la calle.

Geppetto salió detrás del muñeco, para volverlo al hogar; pero ya era tarde. ¡Pinocho corría a toda velocidad!

—¡Deténganlo! — gritó Geppetto, sin dejar de correr tras su títere —. ¡Deténganlo, que va a destrozarse!... ¡Vuelve, Pinocho, vuelve!

Pero Pinocho seguía su desaforada carrera.

Geppetto, en cambio, iba perdiendo el resuello, cuando al final de la calle apareció un gendarme.

—¡Deténgalo, señor gendarme! — gritó entonces Geppetto.

El gendarme avanzaba tranquilamente, tratando de ver qué era lo que Geppetto quería que fuese detenido.

—¡Ahí! ¡Ahí!— le gritó éste, señalando cerca de él una cosita que se movía.

—¡Diantre! ¿Qué clase de bicho es éste?— pensó el gendarme, plantándose fieramente en el centro de la calle.

En el preciso instante en que pasaba por entre las piernas del gendarme, éste las juntó y Pinocho quedó aprisionado en ellas.

Agachóse entonces el gendarme y, agarrando al títere por la descomunal nariz, lo levantó hasta la altura de sus ojos.

—¡Sopla! ¡Pero esto parece un títere!— exclamó.

En esto ya se había acercado Polentita, el cual, tomando a Pinocho, se dispuso a darle un tirón de orejas, en castigo de su travesura; pero no le fué posible hacerlo, pues Pinocho aun no tenía orejas.

Geppetto lo tomó entonces por la nariz, y sacudiéndolo con rabia le gritó:

—¡Ahora vas a ver, mocoso! ¡Yo te voy a dar por tratar de huir! ¡Ven conmigo!

Pinocho, en vez de obedecer, se tiró al suelo y empezó a patalear. El gendarme, que no acababa de entender aquel asunto, miraba a Polentita y al muñeco sucesivamente. Al fin lanzó una risotada:

—Ahora comprendo — dijo —; Geppetto ha tenido un hijo. ¡Qué parecidos son! Pero, ¿dónde lo tuviste escondido hasta ahora?

Polentita no hacía caso. Trataba de levantar a Pinocho y de llevarlo a la casa, para castigarlo.

Los vecinos que presenciaban la escena, empezaron a murmurar contra Polentita.

—¡Qué cruel es ese hombre!— decía uno.

—Por algo el chico no quiere volver con él — agregó un tercero...

—¡Eh! — gritó una vieja, asomando su rostro por una ventana —. ¡Deja libre al muchacho, Polentita de los diablos!

—¿Qué te importa lo que hago, bruja? ¡Métete en tus cosas! — contestó Geppetto.

—¿Lo oye usted, señor gendarme? — dijo la vieja —. No le basta maltratar al chico, sino que además me insulta. ¿Por qué no lo lleva preso?

—¡Eso es, eso es! — gritaron los otros vecinos —. ¡Lléveselo preso!

El gendarme estaba indeciso.

—¿Qué hace, señor gendarme? — volvió a gritar la vieja de la ventana —. ¿A qué espera, a que mate al pobre niño?

—Yo sé cumplir con mi deber sin que nadie me lo indique — replicó el gendarme. Y volviéndose a Geppetto le dijo: — ¡Vamos, Polentita, salga pronto de la calle, si no quiere que...

Al oír su apodo, Geppetto se desató en improperios contra el gendarme, de tal manera que éste no tuvo más remedio que llevarlo preso.

Cuando llegaron a la cárcel, el gendarme entregó el preso al carcelero, recomendándole que lo vigilase, pues se trataba de un sujeto que había querido dar muerte a su hijo en plena calle.

Mientras que el pobre Geppetto era conducido a la cárcel, el pícaro Pinocho, un tanto arrepentido de sus travesuras, emprendía el regreso a su casa.

Cuando llegó, tumbóse en el suelo, para descansar tranquilo.

De pronto sintió una vocecita que decía:

—¡Cri, cri! ¡Cri, cri!

—¿Quién anda por ahí?— preguntó Pinocho.

—Soy yo — contestó la vocecita.

—¿Y quién eres tú?

—El Grillo hablador.

—Bueno; ¿y qué haces aquí? ¿Quién te ha autorizado para entrar en mi casa?

—Hace cien años que vivo en ella, y nunca supe que fuese tuya — replicó el Grillo.

—Pues ahora lo es, porque Polentita está preso, y yo soy su heredero. Así que ya te estás largando.

—Yo no tengo por qué marcharme. Tú serás el que se vaya, porque eres un niño, y tendrás que ir al colegio, para ser un hombre de provecho.

—¡Eh, eh!— exclamó Pinocho —. ¿Quién te autoriza para echarme ese sermón? Por mi parte te aseguro que no pienso ir al colegio, porque debe ser muy aburrido, a juzgar por lo que dices. Lo que haré es ir al campo a cazar mariposas, a tirar piedras a los pájaros, a buscar nidos.

—¿Y sabes lo que conseguirás con eso?— preguntó el Grillo.

—¿Qué?

—Ser un asno, y que todos se burlen de ti.

—Les romperé la cabeza a cascotazos.

—¡Oh! Serás muy capaz. Pero bien sabes que hay gendarmes y prisiones para castigarte.

—Bueno; acaba ya de fastidiarme con tus palabras, que tengo ganas de dormir.

—Ya dormirás. Ahora escúchame aún. Al salir de la escuela, tendrás que aprender un oficio para ganarte el pan. Los hay muy lindos, ¿no te gustaría el de relojero, por ejemplo?

—No seas imbécil, grillito. ¿Sabes cuál es el oficio que más me gusta? El de comer bien, y andar de la mañana

Desde la ventana cayó entonces un chorro de agua.

a la noche corriendo, tirando piedras a los pájaros, pisándoles la cola a los gatos, buscando nidos de pájaros... ¡Ese sí que es un oficio lindo!

—¡Eres un imbécil!

—Si vuelves a llamarme imbécil, te tiro a la calle para que te aplaste el primero que pase.

—Te creo muy capaz, porque, al fin, no eres más que un vulgar muñeco de madera...

—¿Ah, sí? Pues ahora verás.

Rápidamente tomó al grillo por los cuernos, y se acercó a la ventana para tirarlo a la calle.

El gato, que dormía allí, despertó entonces, y de un zarpazo quiso arrebatarle su presa a Pinocho, pero éste le dió un puntapié, que le hizo escapar dando terribles bufidos.

Después abrió la ventana y arrojó al Grillo a la calle, mientras decía:

—¡Ahí puedes sermonear a tu antojo!

El Grillo hablador cayó repitiendo su eterno:

—¡Cri, cri! ¡Cri, cri!

•

Libre ya de su enemigo, Pinocho pensó en satisfacer el hambre que hacía rato lo venía atormentando. Empezó a buscar algo que llevarse a la boca, pero no encontró en toda la casa carne, queso, ni siquiera una corteza de pan, ¡tanta era la pobreza que había en el hogar del infeliz Geppetto!

Salió al patio, a ver si tenía mejor suerte, y en un rincón encontró un huevo de gallina que, por lo calentito que estaba, parecía acabado de poner. Al instante se dispuso a freírlo; encendió fuego en la cocina, calentó unas gotas de aceite en la sartén, y cascó el huevo con todo cuidado. Pero, en vez de la clara y de la yema que esperaba ver salir, apareció un pollito que de un salto se plantó en la ventana, al parecer dispuesto a emprender el vuelo, a pesar de que sus tiernas alitas no parecían capaces de sostenerlo.

—¡Eh, qué es esto! — gritó Pinocho, escandalizado —. ¿A dónde va usted?

—Voy a recorrer el mundo. Le doy las gracias por haberme libertado del cascarón — respondió el pollito —, y le ruego que salude de mi parte al señor Geppetto.

Pinocho quiso atraparlo, pero cuando llegó a la ventana, ya el polluelo había echado a volar.

El muñeco decidió entonces ir a pedir a casa de algún vecino cualquier cosa que le calmase el apetito.

Caminó a tientas un buen rato, pues la noche estaba oscura y en aquel lugar no había alumbrado público, y al divisar en la penumbra la fachada de una casa, se acercó y púsose a tirar con todas sus fuerzas del cordón de la campanilla.

Momentos después se abrió una ventana y en ella asomó el rostro de un anciano que se alumbraba con un candil.

—¿Quién llama a estas horas? — gritó aquel anciano.

—Soy yo — dijo Pinocho.

—¿Y quién eres tú?

—Pues yo, Pinocho.

—¡Ah! ¿Conque eres Pinocho? — replicó el viejo, que nunca había oído tal nombre, y que creyó que se trataba de alguno de los niños traviesos que con frecuencia tocaban la campanilla de su puerta para molestarle —. ¿Y se puede saber lo que deseas a estas horas?

—Deseo comer, pues tengo mucha hambre; no he probado bocado desde que nací.

El viejo, al oír esta contestación, acabó de convencerse

de que se trataba de un bromista. Y pensó en darle el castigo que merecía.

—Espera un momentito, precioso. Vuelvo en seguida — exclamó el anciano, retirándose de la ventana.

Reapareció pocos instantes después, pero ya sin candil.

—Acércate a la pared lo más que puedas, para recoger lo que voy a echarte.

Pinocho hizo lo que el viejo le mandaba, y desde la ventana cayó entonces un chorro de agua, que bañó por completo al muñeco. Este salió corriendo de aquel lugar, donde tan mal trataban a los que iban a pedir de comer. Y comprendiendo que no tendría mejor recibimiento en ninguna de las demás casas del pueblo, decidió volverse a la suya, donde, al menos, podría echarse a dormir tranquilo. En la cocina ardía aún el fuego que había preparado para freír el huevo, y Pinocho se estiró al lado, acomodándose en el suelo lo mejor que le fué posible; lanzó un par de bostezos, y a los pocos minutos dormía como un bendito, sin acordarse de Polentita ni de nada, pues en él no había aun conciencia del bien ni del mal.

Al amanecer, unos fuertes golpes resonaron en la puerta. Pinocho despertó sobresaltado.

—¿Quién es? — preguntó.

—Soy yo. Abre en seguida, tunante.

Pinocho reconoció la voz de Geppetto. Y al ir a levantarse se dió cuenta de que había sufrido una terrible desgracia. ¡Sus pies habían desaparecido, quemados por el fuego de la cocina! Dando vueltas durante el sueño, los había colocado sobre el rescoldo, ¡y ahora no podía tenerse derecho!

Como tardaba en abrir, Polentita, desesperado, le gritó desde fuera:

—¿Qué haces? Abre la puerta en seguida, que hace frío y no puedo estar más tiempo en la calle.

—No puedo abrir — gimoteó entonces el muñeco.

—¿Por qué no puedes? ¡Vamos, déjate de bromas, si no quieres que se me acabe la poca paciencia que me queda!

Pinocho, con un acento de pena que impresionó vivamente al infeliz Geppetto, le contó entonces, alzando la voz, lo que le había ocurrido. Polentita se dirigió sin pérdida de tiempo a las tapias de la huerta, y saltando por ellas pudo entrar en su casa y llegar al sitio en que se hallaba Pinocho.

—¡Qué horror! — exclamó al ver de cerca la desgracia que le había ocurrido a su querido muñeco —. Pero, ¿cómo ha sido esto? ¡Cuéntamelo todo, cuéntamelo todo, hijito!

Pinocho refirió detalladamente todo lo que le había ocurrido desde que el gendarme se había llevado preso a Geppetto.

Cuando concluyó, Geppetto, que se mostraba afligidísimo, exclamó:

—¡Todo eso te ha ocurrido por descuidado! ¿Cómo no tienes más cabeza?

—La culpa no es de la cabeza. — replicó Pinocho —. Es del estómago, ¿no te parece? Si no fuese por el estómago, yo no saldría de casa, el viejo del candil no me habría mojado; no estando mojado, no se me ocurriría acostarme cerca del fuego...

—Bueno, bueno; ahora lo que hay que hacer es reparar al instante tu desgracia. Voy a hacerte unos pies nuevos.

Y tomando su navajita y dos pedazos de madera, empezó la tarea con el mismo entusiasmo que había puesto para fabricar el muñeco.

Pinocho, sentado en el suelo, palmoteaba de alegría y

dirigía cariñosas palabras a su padrecito, quien hallaba en ellas el mejor premio a su trabajo.

Antes de una hora, Geppetto había terminado de confeccionar el nuevo par de pies de su querido muñeco. Preparó un poco de cola para pegarlos convenientemente, y en un santiamén dejó al muñeco como nuevo. Ni siquiera se le notaban los añadidos. No sabiendo el muñeco cómo demostrar su agradecimiento al cariñoso anciano, se acercó a él rápidamente, encaramósele en los hombros, y levantándole la amarilla peluca, la depositó en la calva un beso cuyo chasquido resonó como el de una bofetada. Geppetto recibió aquella muestra de agradecimiento con una sonrisa en la que se traslucía la emoción de su alma.

Cuando Pinocho volvió a ponerse en el suelo, tomó un aire de seriedad como nunca había tenido hasta entonces, y dijo:

—Para que veas que quiero corresponder a tus bondades, te aviso que desde mañana quiero ir a la escuela.

Geppetto lo estrechó entre sus brazos. Y poco después salía para comprar lo que Pinocho necesitaba para su vida de escolar. Antes de media hora regresaba en mangas de camisa, a pesar del frío que hacía en la calle; en la mano traía un abecedario, que, lleno de satisfacción, entregó a Pinocho.

Este hojeó el libro durante un momento, y luego, volviéndose bruscamente hacia su «papito», como llamaba ya a Geppetto, le preguntó:

—¿Y dónde has dejado la casaca?

Geppetto, que no esperaba aquella pregunta, se quedó turbado.

—Este... La casaca...— respondió al fin —. Pues... la vendí...

—¿Y por qué la vendiste, si está haciendo mucho frío?

Dejó al muñeco como nuevo.

—No, no creas... Me pesaba bastante...

Pinocho, que empezaba a comprender muchas cosas que iba viendo con sus ojillos inocentes, de un salto se colgó del cuello de Geppetto y se puso a besarlo con fervor, como nunca hasta entonces había sentido.

Al día siguiente, como habían resuelto Pinocho y Geppetto, el muñeco se dirigió al colegio, con su abecedario bajo el brazo. Geppetto le había hecho un traje de papel de colores, una gorrita de miga de pan y unos zapatos de cáscara de nuez; así que el nuevo escolar llamaba la atención por lo limpio y aseado que iba.

Caminaba muy tranquilo, cuando a lo lejos sintió una música y gran alboroto de niños y de personas mayores. Echó a correr hacia el lugar en que había todo aquel ruido, y pronto se encontró delante de la tienda de un circo, a cuya entrada se agolpaba una gran multitud.

—¿Qué hay aquí? — preguntó a uno de los niños que entraban.

—¿No ves lo que dice el cartel? — le contestó el interpelado.

Pinocho, muy fresco, dijo:

—Hoy no sé leer; si fuese mañana...

—¿Qué?

—Si fuese mañana, sabría, porque hoy mismo empiezo a ir a la escuela.

El niño se echó a reír, pero, para no entrar en discusiones, le explicó a Pinocho que lo que el cartel decía era: *Gran teatro de títeres. Hoy, función extraordinaria a precios populares.*

Pinocho le dijo que le gustaría entrar, pero que no tenía ni un centavo. Y un vendedor ambulante que pasaba, intervino en la conversación para decirle a Pinocho que le daba veinte centavos por su abecedario nuevo. Pinocho no dudó un instante; entregó el abecedario, recogió los veinte centavos y se dirigió sin pérdida de tiempo a la ventanilla donde se vendían las entradas.

Al ver aquella extraña figura, todo el público empezó a gritar y aplaudir con delirante entusiasmo, de tal manera que la representación quedó interrumpida. Los mismos títeres que estaban en escena — Arlequín, Pierrot, Colombina — tomaron parte en la ovación que se tributaba a Pinocho.

Cuando el bullicio era mayor, apareció en el escenario un hombre alto y bigotudo, cuyos pasos hacían retemblar las tablas del teatrito. Traía en la mano un gran látigo, que de vez en cuando hacía restallar estruendosamente, agitándolo por encima de su cabeza. Dirigiéndose a Pinocho con voz de trueno, le preguntó:

—¿Qué haces tú aquí, mocosuelo?

—¿Y quién es usted para preguntármelo? — replicó Pinocho.

—Soy el titiritero Tragafuego, dueño de este teatro, y si no quieres que te dé el castigo que mereces por insolente y alborotador, ya te estás largando de este sitio.

—No, señor — contestó el muñeco mirándole fijamente —; no me voy hasta que termine la función, que para eso he pagado mi entrada.

Tragafuego, que tenía muy mal genio, agarró a Pinocho por la nariz, lo llevó al cuartucho que tenía para vivir dentro del circo, y lo colgó de un clavo, como si se tratase de una toalla.

Llegada la noche, Tragafuego se dispuso a cenar, pero como se le había acabado la leña para calentar la comida, pensó que Pinocho podía sacarlo del apuro, y descolgándolo del clavo, iba a echarlo en el hogar, cuando Arlequín, Pierrot y todos los demás títeres del teatro, sospechando lo que haría Tragafuego, entraron en la cocina y suplicaron a su patrón que perdonase la vida al simpático muñeco. Este, por su parte, empezó a gritar:

—¡Que venga Geppetto! ¡Que venga Geppetto! ¡Quiero ver a mi papá!

El titiritero, que en el fondo era un buen hombre, al oír que el muñeco llamaba a su papá, se detuvo para preguntar:

—¿Pero de verdad tienes papá?

—Pues claro que lo tengo. No hay nadie sin papá...

—¿Y mamá?

—No, mamá no tengo. Pero la compraré en cuanto sea rico — replicó muy serio Pinocho.

El titiritero lanzó una carcajada que parecía el ruido de un tren en marcha.

—¡Pobre viejo! — siguió diciendo Pinocho —. ¡Qué triste se va a poner en cuanto sepa que me han quemado! ¡Pobrecito, tanto como se disgustó cuando se me quemaron los pies! ¡Ji, ji, ji!

—La verdad es que tu padre no se pondrá nada contento. ¿Es muy viejo? — preguntó Tragafuego, ya francamente compadecido de Pinocho y de su papá.

—Muy viejo; tiene, lo menos, lo menos cuatro años...

—¿Cómo cuatro?

—Quiero decir cuatrocientos.... ¡Es tan viejecito, que da lástima!

—¿Y de qué vive?

—De lo que come.

—Ya; quiero decir cuál es su oficio.

—¡Ah! Tiene el oficio de ser pobre. Con decirte que para comprarme el abecedario para la escuela tuvo que vender la casaca, te lo digo todo.

Tragafuego se quedó pensativo un momento, con la barba apoyada en una mano y ésta en la mesa. Al fin se levantó, fué al armario donde guardaba el producto de las entradas, y tomando cinco monedas de oro, se las entregó a Pinocho, al mismo tiempo que le decía:

—Toma estas monedas. Se las entregas a tu papá, de mi parte; procura que se compre una casaca nueva, y te encargo que seas muy bueno con él, porque veo que él también lo es contigo.

Pinocho apretó las monedas en una mano, con la otra tomó la de Tragafuego, y se la besó con emoción. Luego se despidió de los títeres, y en seguida salió del circo en que había estado a punto de ser pasto de las llamas. Iba por la calle más contento que unas Pascuas, pareciéndole que el mundo era pequeño para su alegría, cuando se encontró con un zorro viejo y rengo que se apoyaba en un fuerte garrote, y a quien acompañaba un gato que llevaba vendado uno de los ojos.

Los dos extraños paseantes saludaron a Pinocho con mucha reverencia, y al instante entablaron conversación con él, hablando del teatro, de los títeres y del señor Tragafuego. El muñeco no pudo contenerse y empezó a elogiar al titiritero, de quien dijo que era la persona más caritativa del mundo.

—Es tan bueno, tan bueno — dijo Pinocho —, que a mí me ha regalado estas cinco monedas de oro.

El zorro y el gato se miraron de reojo y multiplicaron sus amabilidades para con el inexperto muñeco.

—Oye — dijo de pronto el zorro —, ¿no te gustaría multiplicar tus cinco monedas por unos cuantos miles?

—Pues claro que me gustaría — contestó Pinocho.

—Entonces no tienes más que venir con nosotros al país de los Buhos — siguió diciendo el zorro —. Es un país tan fértil, que cualquier cosa que entierres en él, al día siguiente aparece extraordinariamente multiplicada. Por ejemplo, entierras esas monedas, las riegas con un poco de agua de un arroyo que pasa por allí, y al día siguiente ha nacido un árbol cuajado de monedas de oro como un peral de peras. ¿Quieres que te enseñemos ese maravilloso lugar?

—Vamos, vamos allá en seguida — gritó Pinocho.

Cuando empezaba a anochecer, vieron a un costado del camino una hostería, y como todos tres llevaban buen apetito, entraron en ella para cenar y descansar.

Después de comer con buen apetito todo lo que el hostelero les sirvió, se retiraron a dormir; a medianoche, Pinocho sintió que lo sacudían con fuerza, y al abrir los ojos vió a su lado al dueño de la hostería, que le decía:

—Señor Pinocho, los caballeros que venían con usted han salido hace unos momentos para preparar el terreno donde plantarán mañana las monedas que usted lleva. Y me dejaron dicho que no tardase usted en seguirles, a fin de poder arreglar mañana mismo el asunto, pues ellos tienen urgencia de regresar al pueblo.

Pinocho saltó de la cama, y después de oír las indicaciones que le hizo el hostelero respecto al camino que debía seguir, se puso en marcha, sin tener en cuenta que era de noche y que se exponía a mil peligros.

Ya estaba bastante lejos de la hostería, cuando sintió que alguien le chistaba en la oscuridad. Miró a su alrededor y distinguió que en unos arbustos había un bichito de luz.

Pinocho supuso que era éste quien le había chistado, y se acercó a él.

—¿Me llamabas? — le preguntó el muñeco.

—Sí, te llamaba — dijo el bichito — porque quiero advertirte que te guardes de esa pareja de tunantes, pues todo cuanto hacen es para robarte las monedas.

—¿Y quién eres tú?

—Soy el espectro del Grillo hablador. Hazme caso, vuélvete al lado de Geppetto, no sigas ese camino, porque

—No, mamá no tengo.

escondidos en él te esperan el gato y el zorro, que no pararán hasta hacerse con las monedas que Tragafuego te dió.

—¿Me crees tan bobo — replicó Pinocho —, que voy a renunciar a hacerme rico sólo porque tú, que eres un simple espectro, te pongas a retarme? Adiós, adiós.

Y siguió caminando muy satisfecho, mientras la lucecita se apagaba tristemente.

El incauto muñeco no reparó en que pocos pasos más allá de donde había encontrado al espectro del Grillo hablador empezaron a seguirlo de muy cerca dos bultos que caminaban sin hacer ningún ruido. Siguieron así bastante tiempo, hasta que los perseguidores de Pinocho, tomando por un atajo, se le plantaron delante.

—¡Alto! — le gritó uno de ellos. — ¡Manos arriba!

Pinocho, con un ademán rapidísimo, se llevó las monedas a la boca y las colocó debajo de la lengua. En seguida levantó las manos y se dejó estar quietecito, para que los asaltantes lo registrasen. Al no encontrarle nada en los bolsillos, lo zarandearon como si se tratase de una bolsa; Pinocho, a todo esto, estaba mudo como una estatua.

Entonces el asaltante que había hablado antes volvió a gritar:

—Muy bien; puesto que has escondido el dinero, te colgaremos de un árbol para que nos digas dónde lo has puesto.

Pinocho, al verse perdido, quiso escapar de las garras de los dos sujetos y pegó un salto que hubiera envidiado una liebre. Los ladrones echaron a correr detrás de él, y en todo el campo no se sentía más que la respiración jadeante de los tres personajes de nuestra historia.

Empezaba a amanecer, y a la pálida luz de la aurora, Pinocho divisó a lo lejos una casita blanca, hacia la que se dirigió redoblando sus esfuerzos por escapar a sus encarnizados perseguidores.

Cuando llegó ante la puerta golpeó con el puño en ella, al mismo tiempo que gritaba:

—¡Por favor! ¡Abran en seguida, que quieren robarme!

Una de las ventanitas de la casa se abrió, y Pinocho pudo ver que se asomaba una hermosa jovencita de cara angelical, pero tan pálida, tan pálida, que parecía muerta.

Antes de que Pinocho tuviese tiempo de decirle nada, la jovencita exclamó:

—Sigue corriendo, Pinocho; no te detengas. Ahora me es imposible ayudarte, más adelante lo haré con mucho gusto. ¡Corre, corre, que te alcanzan!

No le quedaba al pobre muñeco más remedio que seguir su desenfrenada carrera; iba a hacerlo, pero una mano cayó pesadamente sobre su hombro y lo sujetó, al mismo tiempo que una voz decía a su lado:

—¡Al fin eres nuestro!

Y otra voz añadió:

—¡Ahora nos las vas a pagar todas juntas, muñeco del diablo!

Y sin más explicaciones, los dos asaltantes arrastraron a Pinocho hasta un bosque que había cerca; allí sacaron una cuerda que llevaban oculta, y haciendo con ella un lazo corredizo se lo pasaron por el cuello al muñeco, tiraron el extremo libre por encima de la rama de un árbol, y pocos instantes después el hijo de Geppetto se balanceaba en el aire como un trapo puesto a secar.

Los dos ladrones, en cuanto lo vieron patalear en el aire, le gritaron:

—¿Qué tal se está ahí arriba, amiguito? ¿Sopla viento fresco?

Pinocho, como era de madera, no sentía los efectos de la asfixia que esperaban los dos malvados que lo habían ahorcado; pero el cansancio y el sentirse suavemente mecido por la brisa, hicieron que se quedase dormido. Los asaltantes creyeron que estaba muerto, y se largaron de allí a toda prisa, porque podía ocurrir que apareciese algún gendarme, y ellos no querían líos con la autoridad.

La hermosa niña que se había asomado a la ventana de la casita, era un hada muy buena, y si no había protegido a Pinocho cuando éste le pidió auxilio, fué porque ella sabía muy bien lo que había de ocurrir y quería dar una lección al muñeco, de cuyas desobediencias y travesuras estaba perfectamente enterada.

Desde su casa vió alejarse a los dos asaltantes, y entonces mandó a un halcón que tenía a su servicio, que fuese a descolgar a Pinocho. Al mismo tiempo dispuso que su carroza de gala, tirada por cinco yuntas de ratones blancos, saliese a galope para recoger el cuerpo del ahorcado.

Media hora después regresaba la carroza conduciendo a Pinocho. Este fué subido por el halcón y otros criados del hada, al dormitorio de ésta. Colocado cuidadosamente en una cama de nácar con colcha de hojas de madreselva, el hada ordenó a su cochero que saliese al instante en busca de los tres doctores más afamados del mundo maravilloso de que aquélla era reina.

Pronto llegaron las tres eminencias. Eran el señor Lechuza, el señor Cuervo y el señor Grillo.

—Señores — les dijo el hada, llevándolos al lado de Pinocho —, tengo mucho interés en saber si este pobrecito está vivo o muerto; y en el primer caso, qué debe hacerse para que recupere la salud en seguida.

—Confiad en nuestra sabiduría, señora — exclamaron

los tres doctores mientras se acercaban al lecho en que se hallaba tendido Pinocho.

El señor Cuervo le tomó el pulso y le ordenó que sacase la lengua; viendo que no era obedecido, el eminente doctor torció el gesto y exclamó:

—Temo que se trate de un caso fatal, en el que la vida ha dejado paso a la muerte, y aunque en el estado actual de la ciencia es difícil hacer cierta clase de pronósticos, no dudo en asegurar que si en el muerto se advirtiesen algunos síntomas de vida, podría colegirse que no todo está perdido.

—Por mi parte — dijo el señor Lechuza —, creo que la muerte existe en todos los casos en que ha desaparecido la vida. No obstante, y salvo la mejor opinión de mis distinguidos colegas, si el paciente, como ocurre en el caso que tenemos delante, presenta una sostenida interrupción en las funciones vitales, no habrá más remedio que pensar una de estas dos cosas: que está muerto o que no lo está.

—Sin embargo — atajó el doctor Cuervo —, Hipócrates asegura...

Y las dos eminencias, olvidándose del hada, y lo que es peor, del paciente, se enzarzaron en una polémica que parecía que no iba a acabar nunca.

El hada se impacientó viendo que los minutos pasaban y que el muñeco no daba señales de vida.

Por su parte, el doctor Grillo, que no había hablado una sola palabra desde que entrara en el dormitorio, miraba y remiraba a Pinocho y cada vez iba torciendo más el gesto.

De pronto, el hada se dirigió a él, y cruzando las manos con ansiedad, le preguntó:

—¿Y usted qué opina, doctor Grillo? Dígame la verdad, por amarga que sea.

El doctor Grillo continuó aún unos instantes mirando a Pinocho, y al fin, volviéndose rápidamente hacia el hada, dijo:

—¿Que qué me parece? ¿Quiere saberlo?

—Sí, claro — respondió el hada.

—Pues me parece, sencillamente, que estamos delante de un pillastre...

—¡Por Dios, señor Grillo!

—Déjeme acabar... —exclamó el señor Grillo—. Que estamos ante un pillo que, si no se corrige, acabará siendo ahorcado de verdad, y que por el momento, la mejor medicina que puede administrársele es una buena azotaina...

Pinocho, que no estaba muerto ni mucho menos, al oír las enérgicas palabras del doctor Grillo, abrió despacito un ojo para ver si el doctor hacía algún ademán que indicase que iba a aplicarle la medicina de que estaba hablando; pero, al verlo inmóvil al lado del hada, cerró los párpados y se dejó estar quietecito, como si realmente estuviese privado de vida.

—Pero, señor Grillo — dijo el hada —, ¿qué está usted diciendo?

—Lo que usted oye, señora — replicó el interpelado —. A este muñequito, lo que le hace falta no son médicos ni medicinas, sino un palo que le mida las costillas durante unos minutos. Porque yo le conozco y sé que es un desalmado que tiene abandonado a su papá, que ha huído de la escuela, que anda en malas compañías...

Las palabras del doctor Grillo fueron interrumpidas por un sollozo que resonó dolorosamente en la habitación.

Era que Pinocho, no pudiendo seguir escuchando con tranquilidad lo que decía el doctor, se había echado a llorar con profundo desconsuelo, mientras trataba de ocultar el rostro en la almohada.

Pronto llegaron las tres eminencias.

El hada se acercó rápidamente al muñeco y empezó a prodigarle palabras de consuelo, pues se había compadecido de él a pesar de las duras frases del doctor Grillo.

Los otros dos pozos de ciencia, el señor Cuervo y el señor Lechuza, al escuchar el llanto de Pinocho, se acercaron al lecho, observaron al paciente, y, volviéndose el uno hacia el otro, exclamaron:

—La ciencia no falla.

Y el doctor Lechuza agregó:

—Bien decía yo que cuando un muerto no ha dejado de vivir, es indudable que puede dejar de estar muerto.

Y el doctor Cuervo, moviendo negativamente la cabeza, exclamó:

—No obstante, querido colega, Hipócrates asegura...

Y de nuevo volvieron a enzarzarse en su formidable polémica.

El hada, comprendiendo que mientras los tres doctores estuviesen presentes, Pinocho no se calmaría, rogó a aquéllos que se retirasen, cosa que hicieron sin chistar.

—Vamos, vamos, cállate — dijo el hada a Pinocho, en cuanto los tres sabios se alejaron —. Nada malo te pasará.

Pinocho abrió los ojos y, por vez primera, miró fijamente a su protectora.

—Gracias, hermosa hada —murmuró el muñeco —. Gracias por haberme librado de aquellos hombres terribles.

—¡Pobrecito, tienes fiebre! — dijo ella, acercándose al muñeco y poniéndole una mano en la frente.

Tocó una campanilla de plata, y al instante apareció un criado, al cual el hada le dió una orden en voz baja. Salió el criado, y poco después volvió a aparecer con una bandeja de oro, en la cual había un vaso lleno de agua mezclada con ciertos polvos blancos.

Tomó el hada el vaso y se lo ofreció a Pinocho, diciéndole:

—Bebe esto; te hará bien.

—¿Es dulce? —preguntó Pinocho.

—No, pero te conviene tomarlo para ponerte bien y poder volver a tu casa.

—¡Ah, no, no! Si no es dulce, no lo tomo.

—Vaya; no seas rebelde. Es una medicina que hará desaparecer la fiebre. Tómala de un sorbo.

—He dicho que no, y no. Si tuviese azúcar...

—El azúcar te lo daré después, para que te quite el sabor de la bebida.

—Dámelo antes, si quieres que beba esa...

Iba a decir «porquería», pero lo contuvo un gesto de reprensión de la hermosa hada.

—Bien; te lo daré antes...

El hada tomó un terrón de azúcar de un recipiente que había cerca, y se lo alargó al muñeco, que lo saboreó con delicia.

—Bien; toma ahora la purga... —dijo el hada.

—¡Ah! De modo que eso es una purga, ¿eh? Pues no la tomo.

—Te daré otro terrón de azúcar...

—Venga...

Se lo dió, y entonces Pinocho acercó el vaso a la boca, lo miró un buen rato, chasqueó la lengua, hizo un gesto de repugnancia y quiso rechazar la medicina.

—¡Mira que me enfado! —exclamó la joven—. Tómalo ya, y acabemos de una vez.

Pinocho, moviendo la cabeza con aire de fastidio, acercó el vaso a la boca, pero en vez de beber el contenido, metió en él la nariz dos o tres veces, y al fin exclamó:

—¡Buh! ¡Qué feo es esto! ¡No puedo tomarlo! ¡Es muy amargo!

—¿Por qué lo dices, si no lo has probado?

—Pero lo he olido. ¡Te digo que es muy amargo! Y si no me das otro terrón de azúcar, o dos, no me lo beberé.

—Muy bien; te daré el azúcar, pero si vuelves a negarte a tomar la purga, llamaré a los dos asaltantes y ellos se encargarán de curarte...

Pinocho, temblando ante el recuerdo de sus dos perseguidores, agarró el vaso con las dos manos y...

—¡Ah! Dame otro terrón, por favor — dijo, olvidándose al instante de los ladrones.

El hada, cuya paciencia, como vemos, era digna de una madre cariñosa, le dió otro terrón y le pasó la mano por la cabeza:

—Vamos, caprichoso; toma ahora la medicina.

—¿Cómo quieres que la tome — replicó Pinocho — si está sin revolver? Dame una cucharilla.

Se la dió. Y parecía que ya no tendría más inconvenientes que oponer, cuando reparó en que los doctores, al salir, habían dejado la puerta abierta.

—¡Oh, esta medicina va a caerme mal! — exclamó —. ¿No ves que está la puerta abierta y hay corriente de aire?

La puerta fué cerrada por el hada, quien, al volver al lado del enfermo, le preguntó:

—¿Algo más?

Pinocho no pudo seguir fingiendo, y juntando las manos con desconsuelo se echó a llorar.

—¡No quiero la medicina, no la quiero, no la quiero!

—Pero es que la necesitas. Mira que puedes morirte...

—Pues me moriré.

—¿Cómo dices eso? Acabas de nacer, como quien dice, y ya quieres morir... ¿Has perdido el juicio?

—¿El juicio? No sé lo que es eso. Lo que te digo es que, mejor que tomar la medicina, prefiero morirme.

—¿Ah, sí?—preguntó el hada, que empezaba a perder la paciencia ante la testarudez del muñeco—. Muy bien; espera entonces un momento.

Diciendo esto, salió de la habitación sin hacer ruido alguno, cosa que a Pinocho le llamó extraordinariamente la atención.

Pocos instantes después, la hermosa niña volvió a aparecer y fué a colocarse, sin decir nada, a la cabecera de la cama de Pinocho.

En seguida se oyó llamar a la puerta.

—Adelante—dijo el hada.

Abrióse la puerta, y en el umbral aparecieron cuatro conejos, vestidos de luto, con grandes chisteras con crespones, y levitas muy fúnebres.

El hada, al verlos, les preguntó si ya estaba abajo la carroza.

—Sí, señora—contestó uno de los conejos—; todo está listo para lo que habéis mandado. Sólo falta el muerto.

—¡Ese es!— dijo señalando a Pinocho.

Este cayó de rodillas ante el hada, comprendiendo que se había excedido en sus caprichos, y con los ojos llenos de lágrimas prometió que nunca más volvería a hacerlo.

El hada le recomendó mucho que fuese bueno, que evitase las malas compañías, que se volviese a su casa, donde lo estaba esperando lleno de ansiedad el excelente señor Geppetto, y que fuese siempre a la escuela para llegar a ser un hombre de provecho.

Pinocho aseguró que haría todo eso con la mejor voluntad, y después de besarle las manos a su protectora, salió de la casita y emprendió el camino de la suya. Iba muy contento, ansiando llegar cuanto antes al lado de Geppetto para entregarle las monedas de oro que de tantas necesidades podían librarles. Saltando alegremente se internó en el bosque, y de pronto, ¡qué casualidad!, se encontró con sus antiguos conocidos el zorro y el gato, quienes, al verlo, parecieron un tanto sorprendidos, aunque pronto consiguieron dominarse y aparecer como si nunca en su vida hubiesen hecho más que buenas obras.

—¿De dónde sales, Pinochito querido? — le preguntó el zorro. — Te hemos estado esperando para ir a enterrar las monedas, y creíamos que te habías arrepentido de querer llegar a millonario.

Pinocho les contó lo que le había ocurrido con los dos asaltantes, y el zorro y el gato se deshicieron en censuras contra los desalmados que, valiéndose de la oscuridad, andan por los caminos robando a inocentes.

—Y, oye una cosa — dijo el zorro —; ¿tienes aún las monedas o las has dado a alguien?

—Las tengo aún — replicó inocentemente Pinocho —, y si no os habéis arrepentido de lo que me anunciasteis, quisiera que me llevaseis a ese campo prodigioso donde nacen árboles cargados de oro.

Con los ojos brillando de avaricia, los dos le aseguraron que estaban más decididos que nunca a ayudarle en su propósito de hacerse rico.

—Bueno — dijo Pinocho —, entonces vamos allá.

Se pusieron en marcha; al cabo de unas horas divisaron un pueblo que el zorro dijo llamábase Atrapazonzos. Tuvieron que atravesarlo para seguir hasta el campo en que habían de enterrarse las monedas de oro, y Pinocho pudo observar en las calles una serie de tipos hambrientos y mal vestidos, que se paseaban tristemente o se acurrucaban en los umbrales de las puertas.

Cayó de rodillas ante el hada.

Un poco más allá de la ciudad había un campo lleno de hierbajos y cardos, con tal cual arbolito, y en cuanto llegaron a él, el zorro, abriendo los brazos con un gesto teatral, exclamó:

—¡Aquí está el campo que te hará rico, querido Pinocho!

En seguida le indicó que abriese un hoyo en la tierra y que, para hacer más fácilmente la fortuna, enterrase de una vez sus monedas.

Obedeció el muñeco, y, siguiendo las instrucciones de sus amigos, fué a un arroyo de escasa corriente que pasaba cerca, para recoger en uno de sus zapatos un poco de agua, con la que regó la tierra que acababa de remover para sembrar su tesoro.

—Bueno, hijo mío — le dijo el zorro en cuanto Pinocho acabó de regar —, ahora no tienes más que esperar a que nazca el árbol de las monedas. Y como nosotros tenemos que hacer unas diligencias en el pueblo, nos retiramos satisfechos de haber prestado un favor a quien verdaderamente lo merece.

Pinocho dió las gracias a sus amigos, a quienes vió alejarse a buen paso, y se sentó cerca del lugar de su siembra, sin apartar la vista del pedazo de tierra removida. Estando así se quedó dormido, y cuando despertó, el sol se acercaba al horizonte.

Viendo que no había asomo de árbol, ni de arbusto, ni del más insignificante brote allí donde había enterrado sus monedas, empezó a desalentarse y a escarbar ansiosamente en la tierra. En esto, una estrepitosa carcajada llegó a sus oídos. Volvió la cabeza, y vió que quien se reía era un loro viejo que se balanceaba tranquilamente en un árbol que había cerca.

—¿De qué te ríes? — le preguntó Pinocho, bastante **amoscado,**

—Me río de ti —repuso el loro.

—¿Y puede saberse por qué?

—Claro que puede. Me río porque pareces un chico despejado, y, sin embargo, te has dejado engañar como el más simple. Busca, busca tus monedas, y verás que han volado como si tuvieran alas...

Pinocho se puso a escarbar la tierra con las dos manos a un tiempo, como un perro que busca un hueso. Y no tuvo más remedio que reconocer que las monedas habían desaparecido. Con la desolación pintada en el rostro, dirigió la vista a su interlocutor y le preguntó:

—¿Sabes tú quién se ha llevado mis monedas?

—¿No lo has adivinado ya, inocente? — le contestó el loro —. Han sido tus dos amigos, quienes, en cuanto te quedaste dormido, salieron del lugar en que se habían escondido para espiarte, y después de desenterrar las monedas echaron a correr a campo traviesa. Yo los sorprendí cuando no podía avisarte, porque estaba lejos de aquí; pero te confieso que no me extrañó nada, pues también he venido aquí para hacerme rico y también he sido robado por unos sujetos como el gato y el zorro. Y en la ciudad de Atrapazonzos habrás visto a cien más que también han sido engañados por los pillos que se dedican a buscar inocentes con dinero. ¡Ojalá que lo ocurrido te sirva de lección para lo sucesivo!

Pinocho, sin despedirse del loro, echó a correr hacia Atrapazonzos y fué a ver al señor juez del lugar, que se hallaba en la sala de audiencias. Era un mono muy viejo, medio sordo, bastante cegato, por lo que tenía que usar anteojos, aunque siempre los traía sin vidrios, porque así le resultaban más baratos. Pinocho le dijo lo que le había ocurrido y exigió que se le hiciese justicia.

El juez agarró una campanilla de hojalata que había

encima de la mesa, la golpeó en el borde de ésta, porque no tenía badajo, y al cabo de media hora apareció un ujier armado como si fuese para la guerra.

—Hijo mío — le dijo el mono —; este pequeño muñeco ha sido engañado por dos tunantes que le han robado cinco monedas de oro. Sujetadle bien, y metedle en el calabozo.

—¿Está loco? — gritó Pinocho —. El robado soy yo; ¿cómo quiere meterme en un calabozo?

—¿Qué querías entonces, muñequito? — replicó el juez —. ¿Que te ahorcase?

Sin esperar más razones, el ujier sujetó por el cuello a Pinocho y lo arrastró hacia un calabozo muy oscuro, donde lo dejó encerrado, sin hacer el menor caso de sus gritos y pataleos.

El pobre muñeco estuvo en aquel calabozo un mes, dos, tres, cuatro..., comiendo solamente unas cortezas de pan muy duras y bebiendo cada día el agua que puede caber en una cáscara de nuez. Ya pensaba que nunca más volvería a ver el sol ni a correr por los caminos, cuando ocurrió en la famosa ciudad un acontecimiento de gran trascendencia, y gracias a eso volvió nuestro amiguito a disfrutar de los beneficios de la libertad, que sólo se aprecian bien después de haberlos perdido.

Sucedió que el rey de aquel país obtuvo una gran victoria sobre un ejército de saltamontes que se había presentado en actitud amenazadora, y para celebrar tal hecho decretó, entre otras cosas, que se pusiese en libertad a todos los que estuviesen presos por algún delito.

Cuando se abrieron las puertas de la cárcel para que los presos saliesen, Pinocho dió un salto tan grande, que casi cayó fuera del edificio. Un mastín que estaba de guardia en el portal, al verle, lo agarró por un brazo y le dijo:

—¿Adónde vas tú?

—A la calle, como todos — contestó el muñeco.

—Tú no puedes salir, porque nuestro rey ha dispuesto que sean puestos en libertad los que han cometido algún delito, y tú no estás en esas condiciones.

—¿Quién te lo ha dicho? Yo soy el más culpable de todos.

—¿Por qué?

—Porque he tenido la debilidad de venir a reclamar justicia a la ciudad de Atrapazonzos. ¿Te parece poco?

—Tienes razón — dijo el mastín, y haciéndose a un lado, le dejó salir.

Cantando y saltando alegremente, Pinocho iba por el camino en dirección a su casa, dispuesto a ser bueno y a querer mucho al pobrecito Geppetto, cuando vió que una gran culebra le obstruía el paso. El reptil estaba dormido, y a Pinocho sólo le quedaba el recurso de pasar por encima de él, pues en aquella parte el camino se abría en una trinchera de bordes muy altos. Pero, ¿y si la culebra despertaba al sentir que alguien caminaba por encima de ella? Pinocho decidió ser prudente. En voz alta y con tono suplicante se dirigió de esta manera al reptil:

—Por favor, señora culebra; ¿sería usted tan amable que se encogiese un poquito, a fin de dejarme pasar?

La culebra abrió poquito a poco los ojos, y al ver la desmedrada figura de Pinocho, le entró tal risa, que empezó a retorcerse, de modo que ella misma se hizo un nudo, y cuando quiso deshacerlo, se ahorcó.

Pudo así continuar su marcha el bueno de Pinocho, y no tardó en hallarse delante de un viñedo cuajado de racimos maduros. Al verlos, la boca se le hizo agua, pues no debemos olvidar que hacía varios meses que se alimentaba exclusivamente de cortezas de pan más duras que piedras. Alargó la mano para cortar uno de aquellos hermosos racimos, y apenas lo había hecho cuando sintió que algo muy duro le sujetaba por las piernas y lo inmovilizaba. ¡Pinocho había caído en el cepo que el dueño del viñedo tenía colocado para cazar las alimañas!

Asustado, empezó a pedir socorro; llamó a Geppetto, al hada, a Tragafuego, hasta al zorro y al gato que lo habían robado; pero, naturalmente, ninguno de ellos acudió en su auxilio. Y, a todo esto, se ocultó el sol y llegó la noche.

—¿Qué será de mí? — pensaba Pinocho —. ¿Cómo podré librarme de este endemoniado cepo?

Unos pasos que se acercaban le hicieron interrumpir sus cavilaciones. Además de los pasos se acercaba al lugar en que se hallaba Pinocho una luz que bailaba casi a ras del suelo. Pocos instantes después estaba al lado del muñeco, mirándolo con ojos asombrados, un hombre con cara de pocos amigos. Era el dueño del viñedo, que venía a ver si el cepo había cazado algo.

—¿Qué haces tú aquí? — le preguntó a Pinocho, acercándole el farol a la cara —. ¿Quién eres?

—Soy Pinocho, el hijo de Geppetto.

—Así que eres Pinocho, ¿eh? ¿Y te ha enseñado tu padre a robar gallinas?

—¡Yo no robo gallinas! — protestó el muñeco —. Solamente he querido comer un racimo de uvas, porque hace muchos meses que no como más que cortezas duras, y al acercarme, quedé preso en este cepo.

—No robas gallinas, pero robas racimos... — dijo el hombre del farol —. Muy bien; pues vas a venir conmigo, y ya te diré yo cómo castigo a los que entran en mis propiedades para robarme.

El aldeano, sin hacer caso de las protestas de Pinocho, abrió el cepo y tomando a aquél por un brazo, lo condujo a su casa, que estaba a media legua de allí. Al llegar al patio de su vivienda, el hombre fuése derechamente a la casilla del perro, que se hallaba vacía, y agarrando la cadena que estaba caída en el suelo, se la puso a Pinocho, mientras le decía:

—Mi perro se ha muerto, y te dejo en su lugar para que vayas aprendiendo a respetar la propiedad ajena. Mañana, en cuanto amanezca, vendré a verte y te diré lo que pienso hacer contigo. Mientras tanto, ahí tienes la casilla del perro; si llueve, puedes guarecerte en ella. Buenas noches.

Y ya se retiraba con su farol, cuando se volvió de repente y le preguntó a Pinocho:

—¿Sabes ladrar?

—Nunca lo he hecho — contestó Pinocho —; pero creo que si me pongo, no lo haré mal del todo.

—Muy bien — añadió el campesino —. Pues si esta noche entra aquí algún compinche tuyo, tienes que despertarme ladrando. ¡Mucho cuidado!

Y diciendo esto, entró en la casa, cuya puerta cerró con gran ruido de cerrojos.

A solas en el patio, temblando de frío, con el estómago vacío, impresionado por el silencio que le rodeaba, Pinocho se puso a llorar con desconsuelo. Pensaba que aquel campesino brutal le dejaría allí para siempre, sujeto con una cadena, haciendo el oficio de perro, teniendo que aullar para espantar a los ladrones y las alimañas... ¡En eso había venido a parar una vida que parecía iba a estar llena de alegrías y de satisfacciones!

Pensando en estas cosas, Pinocho entró en la casilla del perro, donde había un poco de paja; se acomodó lo mejor que pudo, y como estaba muy cansado y era ya bastante tarde, se quedó dormido pocos momentos después.

Despertó sobresaltado; le pareció que muy cerca de allí se hablaba en voz baja. ¿Qué sería? Se incorporó sin hacer ruido, y asomó por la puerta la punta de la nariz. El patio estaba iluminado por la luna, y Pinocho pudo ver a pocos pasos un grupo de cuatro o cinco animalillos que cuchicheaban con las cabezas muy juntas. Eran comadrejas que habían entrado para robar las aves de corral del campesino. Pinocho no sabía qué hacer. ¿Aullaría para dar la alarma, o se quedaría callado? Cuando se estaba formulando a sí mismo estas preguntas, una de las comadrejas se separó del grupo y con pasos livianísimos se acercó a la casilla.

—Buenas noches, señor Mastín — dijo la comadreja.

Pinocho siguió callado.

—¿No me oye usted, señor Mastín? — insistió la intrusa.

—Aquí no hay ningún señor Mastín — dijo al fin Pinocho.

—¡Ah! Y entonces, ¿quién es usted?

—Soy Pinocho, el hijo del señor Geppetto.

—Mucho gusto en conocerlo. ¿Y se puede saber qué hace dentro de la casilla del perro?

—Estoy guardando la hacienda del dueño de la casa.

—¿Cómo? ¿Y qué ha sido del señor Mastín?

—Creo que ha muerto.

—¡Qué pena! Era muy amigo nuestro. Usted lo será también, pues parece un perro de buena familia.

—¡Eh! No confunda usted, señora. Yo no soy un perro, sino un muñeco. Y ya puede usted decirme a qué viene tanta conversación, si no quiere que empiece a ladrar para que venga el amo.

—Escuche. Mientras vivió el señor Mastín, nosotras

AQUI DESCANSA
EL HADA BUENA,
QUE SE ALEJO
DE ESTE MUNDO
DISGUSTADA
POR LA CONDUCTA
DE PINOCHO

Pinocho cayó de rodillas y empezó a llorar...

veníamos aquí una vez por semana; entrábamos en el gallinero y matábamos ocho gallinitas, de las cuales le entregábamos una al señor Mastín, en recompensa de hacer la vista gorda. Si usted se presta a seguir esa costumbre, comerá carne fresca y seremos buenos amigos. ¿Qué le parece?

—Me parece muy bien — contestó Pinocho, a quien aquella proposición le había indignado profundamente, tanto por lo que perjudicaba al campesino, como porque, a causa de aquellos robos, éste había puesto el cepo que le había apresado y llevado a la mísera condición en que se hallaba. Así que decidió castigar a las intrusas.

—Entonces, ¿quedamos de acuerdo? — dijo la ladrona.

—Sí; podéis proceder como cuando estaba aquí el honrado señor Mastín. Pasad todas al gallinero...

La comadreja hizo una seña con la cabeza a sus compañeras, y todas juntas avanzaron hacia el gallinero sin causar el más ligero ruido. Pinocho les dejó hacer sin quitarles la vista de encima. En cuanto vió que estaban dentro, salió de la casilla y se acercó al gallinero, cuya puerta cerró rápidamente con llave, atrapando así a las ladronas.

En seguida se volvió hacia la casa, y formando bocina con las manos, empezó a ladrar desaforadamente. Pocos instantes después, se abría una ventana y en ella aparecía el campesino preguntando:

—¿Qué? ¿Hay ladrones o ladras a la luna?

—¡Hay ladrones! ¡Hay ladrones! — gritó Pinocho.

El campesino bajó corriendo, con un garrote en la mano, y en cuanto se enteró de lo que había ocurrido, metióse en el gallinero y, palo a una, palo a otra, en pocos minutos dió fin de las comadrejas.

Cuando acabó esa tarea, se volvió a Pinocho y le dijo:

—Muy bien, chico; te has portado como un perro...

—Querrá usted decir — replicó el muñeco — como un hombre. Porque yo sé de algunos perros — añadió recordando lo que la comadreja le había dicho respecto al señor Mastín — que se portan... perramente.

—Bueno; dejemos eso ahora — repuso el hombre —. Lo que te digo es que te has portado muy bien, y que en pago te dejo en libertad y te permito que sigas tu camino cuando gustes. Como aun es de noche, puedes entrar en casa para descansar hasta que sea de día.

Pinocho descansó hasta al amanecer, y después de despedirse del aldeano, que le dió algunas provisiones para el camino, echó a andar en dirección a la casita del hada, que él suponía estaba por aquellos lugares.

No encontró la casa, pero sí una lápida de mármol blanco con una leyenda que un aldeano le descifró y que decía así:

AQUÍ DESCANSA EL HADA BUENA,
QUE SE ALEJÓ DE ESTE MUNDO
DISGUSTADA
POR LA CONDUCTA DE PINOCHO.

Pinocho cayó de rodillas y empezó a llorar y a lamentarse por la muerte de su generosa protectora. Estuvo llorando mucho tiempo, y de pronto sintió que un ave volaba por encima de su cabeza. Alzó los ojos Pinocho, y entonces la paloma, pues se trataba de una paloma, le dijo:

—No llores más. Ven conmigo; una persona que te quiere mucho me ha encargado que te lleve a donde ella está.

—¿Quién es? ¿Quién es? — preguntó ansiosamente el muñeco.

—Es Geppetto, tu papá, que está a muchas leguas de aquí. Me dijo que hacía más de cuatro meses que habías huído de su lado; te buscó por todas partes, dió aviso a los gendarmes, hizo fijar edictos en las paredes, y en vista de que nada daba resultado, se decidió a construir una barca para ir a buscarte al otro lado del mar, suponiendo que te hubieses embarcado en algún navío de los que van al Nuevo Mundo... Yo pasé por casualidad a su lado, y al saber que me dirigía a estos lugares, me encargó que si te veía me pusiese a tu disposición. Así que súbete a mi lomo, sujétate bien, y ahora mismo emprenderemos la marcha.

Obedeció Pinocho, y la paloma se elevó como si no llevase ninguna carga encima; voló durante varias horas, y al mediar la tarde empezó a descender cerca de una playa que Pinocho reconoció como la de su pueblo.

En la playa había algunos pescadores que hablaban a gritos y parecían muy preocupados por algo que pasaba en el mar. Pinocho, en cuanto descendió de la paloma, se acercó a los pescadores para preguntarles qué ocurría, y el más anciano le explicó que estaban mirando una embarcación en la que iba un anciano y que se hallaba a punto de naufragar a causa del fuerte oleaje.

Pinocho miró hacia el lugar que le señalaba el pescador, y al instante comprendió que el anciano de la lancha era Geppetto. Lanzó un grito de espanto, y corriendo hacia unas peñas altas que avanzaban sobre el mar, estiró los brazos por encima de la cabeza, ¡y cataplún!, se tiró al agua.

Los pescadores, horrorizados, exclamaron a un tiempo:

—¡Pobre niño! ¡Se ahogará sin remedio!

Cuando Pinocho volvió a la superficie, la embarcación de Geppetto había desaparecido con su tripulante.

En la playa había algunos pescadores.

Pinocho empezó a nadar, a nadar, sin saber hacia dónde, pues ante él no veía más que la superficie inmensa del mar.

Al cabo de mucho tiempo, vió una manchita en el horizonte. ¿Sería la lancha de Geppetto? Redobló Pinocho sus esfuerzos, y no tardó en aparecer ante su vista una franja de tierra, una isla, sin duda. Cuando pudo hacer pie, avanzó sacudiéndose como un perro que acaba de recibir un chapuzón; luego sentóse a descansar, y, finalmente, se puso a caminar en busca de alguien que pudiese orientarle.

Desde lo alto de una colina vió una población, y hacia ella se encaminó. Un hombre que pasaba le dijo que aquél era el pueblo de las Abejas, donde todo el mundo tenía que trabajar si quería comer.

—Creo que no voy a parar mucho aquí — pensó Pinocho.

Llamó a una puerta, y al hombre que salió a recibirle le dijo que tenía hambre y que le agradecería le diese algo para comer.

El hombre le miró de alto a bajo, y replicó:

—Trabaja, trabaja, jovencito; si trabajases. no tendrías necesidad de pedir limosna...

Pinocho fué a sentarse en un banco de la plaza pública, y allí empezó a cavilar sobre su lamentable situación. Había perdido a Geppetto y, para colmo, se encontraba en un pueblo donde era indispensable trabajar para comer. Por algo se dice que las desgracias nunca vienen solas...

En esto vió pasar a un hombre empujando un carrito lleno de fruta. Pinocho se levantó y, quitándose el gorrito, le dijo al hombre:

—Señor, soy forastero, tengo hambre y no poseo dinero para comprar nada. ¿Sería usted tan bueno que me diese una pera o una manzana de esas tan ricas que lleva en su carro?

—No hay inconveniente — contestó el hombre —. Ayúdame a empujar el carro y, cuando lleguemos a mi casa, te obsequiaré con lo que me pides.

Pinocho dió un paso atrás.

—¿Que le ayude a empujar el carro? No sé empujar carros; nunca aprendí a hacerlo.

El hombre lo miró con calma, movió la cabeza como diciendo: «¿De dónde habrá salido este holgazán?», y se alejó empujando su carrito.

Pinocho, desesperado, se acurrucó en el umbral de una puerta y dejó correr las lágrimas que hacía rato asomaban a sus párpados. Así lo vió una anciana que pasaba por la calle con una jarra llena de agua, y, compadecida, se acercó a él.

—¿Qué te pasa, niño? — le preguntó.

—Tengo hambre, y nadie se compadece de mí —contestó el muñeco.

—Toma esta jarra, que a mí me pesa mucho, y ven conmigo. En mi casa habrá algo que comer.

—¿Que lleve esa jarra? Pero, ¡debe de pesar mucho!

—Vamos, vamos; no seas holgazán. Toma la jarra y sígueme sin replicar.

La anciana dijo esto con tal energía, que Pinocho no pudo seguir negándose a obedecerla. Tomó la jarra a la mujer. Cuando llegaron a la casa de ésta, Pinocho estaba fatigado como si hubiese trabajado todo el día. La anciana le puso una mano en la cabeza y le dijo:

—¿Por qué eres tan malo, Pinocho?

Sorprendido al oírse llamar por su nombre, el muñeco alzó los ojos, y ¡cuál no sería su sorpresa al ver ante sí, sonriente, joven y hermosa, al hada buena que le había recogido en su casita a raíz del frustrado ahorcamiento en el bosque!

—¡Eres tú, hada querida!—murmuró Pinocho, y al decir esto cayó de rodillas y se puso a besar el ruedo del vestido de su generosa amiguita.

—Basta, basta ya—le dijo el hada—. Ponte de pie y escúchame... Ahora vas a seguir viviendo aquí, a mi lado; si estudias, si eres formal, si no mientes, si no haces travesuras...

—¡Eh! ¿A dónde vas?—le atajó Pinocho, que ya había vuelto a ser el muñeco travieso de siempre—. Eres capaz de querer que sea un santo...

—Cállate. Quiero que seas un niño modelo, es decir, un muñeco modelo. Si llegas a serlo, te prometo que te convertiré en un niño de verdad y que volverás a ver a Geppetto... ¿Te agrada?

Pinocho palmoteó de alegría.

—¡Mucho, mucho! Desde mañana iré a la escuela y no haré más que lo que tú quieras. ¡Te lo prometo!... Y ahora permíteme que te pregunte una cosa: ¿cómo me explicas que la lápida que había sobre tu sepultura, allá donde estaba tu casita, dijese que habías muerto?

El hada sonrió y dijo:

—Haciéndote creer que me había ido de este mundo, quise ver si te corregías... Pero, desgraciadamente, he advertido que perdí el tiempo.

—¡Ah, pero ahora vas a ver qué bien me porto!

Se acostó y muy pronto dormía como un bendito.

—¡Arriba! ¡Arriba!

Era el hada quien lo llamaba. El sol entraba a raudales por la ventana del dormitorio, y en los árboles que rodeaban la casita, los pájaros gorjeaban y volaban de rama en rama, persiguiéndose alegremente.

—¡Arriba, que va siendo la hora!

Iba muy animado, tarareando una canción.

Pinocho abrió un ojo, se restregó la nariz y luego preguntó:

—¿La hora de qué?

—¡Ah, tunantuelo! Ya te has olvidado de todo. Vamos, levántate; hay que ir a la escuela.

Esta palabra trajo a la memoria de Pinocho la cruda realidad. Rápidamente desfilaron por su imaginación los sucesos del día anterior, el encuentro con el hada, su promesa de ir a la escuela, de aplicarse...

—¡Déjame un poquito más!... — suplicó, cerrando el ojo que había abierto —. ¡Se está tan bien en la cama!...

—Lo comprendo; pero se acerca la hora de entrar en clase, y si nunca se debe llegar con retraso a la escuela, mucho menos debe ocurrir eso el primer día. Así que ¡arriba, perezoso!

Poco a poco fué desperezándose el muñeco, saltó de la cama y se vistió. Después de desayunar un confite, que fué todo lo que le dejó tomar el hada, salió camino de la escuela. Iba muy animado, tarareando una canción y moviendo los brazos con aire marcial.

El maestro había sido avisado por el hada, así que no se extrañó al ver la extravagante figura de su nuevo discípulo. Pero los colegiales, que nunca habían oído hablar de Pinocho, al verlo, empezaron a reírse y a hacer tal jarana, que la clase parecía un mercado de pueblo.

El maestro, que era un viejecito corcovado y calvo, golpeó con la vara en la mesa, tratando de imponer silencio, y gritó con voz cascada:

—¡Orden, niños, orden!

Nadie le hizo caso, porque es preciso reconocer que, en aquella época, los niños del pueblo de las Abejas, eran bastante mal educados. Por noticias que nos han dado algunos viajeros que pasaron recientemente por allí, sabemos que ahora ya no lo son tanto, sino mucho más.

—¡Silencio! ¡Cállense todos! ¡Estudien! — gritó el maestro.

—¿Cómo quiere usted que estudiemos — se atrevió a decir uno de aquellos arrapiezos — si acaba de entrar un mosquito en la escuela?

La gracia fué celebrada por todos los demás escolares con grandes carcajadas. Nuevos golpes de la vara del maestro, nuevas reprimendas, pero el escándalo no cesaba. A todo esto, Pinocho continuaba de pie frente al banco que el maestro le había señalado, sin atreverse a tomar asiento, un poco cohibido ante aquel inesperado y ruidoso recibimiento.

Hubo un momento en que pensó en volverse por donde había llegado, renunciando a estudiar para llegar a ser, como le había dicho el hada, un hombre de provecho para sus semejantes. Pero recordó que eso sería renunciar a la protección de su bienhechora, y entonces decidióse a aguantar el temporal, aunque comprendía que le iba a costar mucho trabajo.

—Siéntese usted, señor Pinocho — le dijo el maestro, haciéndole señas con la mano.

—¡Se llama Pinocho! ¡Tiene nombre de perro! — gritó el niño que antes había llamado mosquito al muñeco, y que tenía su asiento al lado del de éste.

—¿De dónde sacas tú que mi nombre es el de un perro? — le preguntó Pinocho, mirándole con rabia y apretando los puños.

—¡Pinocho, Pinocho, Pinocho! — empezaron a gritar todos los niños a un tiempo.

El pobre maestro braceaba y se movía con desesperación tratando de poner orden; pero todos sus esfuerzos resultaban inútiles.

—Yo te voy a dar cuando salgamos — le prometió Pinocho al que estaba a su lado —. Me llamaste perro, y te he de morder las orejas, para que aprendas.

—Muchachos — gritó el niño —, me está desafiando para la salida. A ver si alguno me presta un mosquitero con que defenderme...

Pinocho se puso de pie y alzando la voz exclamó:

—He venido aquí para estudiar y no para servir de mofa. Si me habéis tomado por un payaso, estáis equivocados. Quiero ser amigo de todos, pero nunca consentiré...

No pudo acabar su discurso, porque una bolita de papel vino a metérsele en la boca, y casi lo atragantó.

Se volvió hacia el niño que estaba a su lado, y le dió un puntapié en las canillas.

—¡Toma, para que te acuerdes de mí!

—¡Ay! — exclamó el agredido —. ¡Pareces de madera! ¡Qué duras tienes las piernas!

—Pues aun lo son más los puños — replicó Pinocho, envalentonado, agitando las manos ante el rostro de su contrincante.

—¡Orden, queridos niños, orden! — gritaba el maestro mientras tanto —. Si continúan así, me veré en la necesidad de expulsarlos a todos.

—¡Sí, sí! — gritaron a un tiempo los niños —. ¡Expúlsenos, expúlsenos!

El anciano se llevó las manos a la cabeza, espantado ante aquellas expresiones de desafecto a la sagrada misión que le estaba encomendada.

—Hoy mismo — continuó diciendo — haré saber a sus señores padres la censurable conducta que observan ustedes, para que los castiguen como corresponde.

Esta amenaza surtió efecto entre los revoltosos esco-

—He venido aquí para estudiar y no para servir de mofa.

lares; poco a poco volvió a reinar el orden, y el maestro, aprovechando esta circunstancia, habló así:

—Este niño a quien ustedes han recibido tan descortésmente, merece el respeto de todos, tanto porque es forastero como porque me han asegurado que tiene la mejor voluntad para estudiar. Les recomiendo, pues, que lo traten con la consideración debida, que sean buenos compañeros suyos, que le ayuden en lo posible y que eviten toda clase de burlas a expensas de su figura, que yo soy el primero en reconocer que no es..., vamos, que es..., quiero decir...

Se atascó en la explicación, y los niños sofocaron las risas que asomaban a sus labios.

—Gracias, señor maestro — dijo Pinocho —; muchas gracias. Mi figura, en efecto, es un poco rara, como sin duda ha querido usted decir; pero tenga la seguridad de que no seré siempre así. Yo lo que quiero es que me respeten como yo respetaré a todos. Deseo aprender, y pido a mis condiscípulos que me ayuden.

Quería decir más, pero se azoró al ver que todos los ojos estaban clavados en él. El niño que estaba a su lado le hizo sentarse tirándole de un brazo.

—Por mi parte — le dijo —, te pido perdón por lo que te dije. Si quieres, seremos amigos.

Otros escolares se acercaron a Pinocho y le hablaron como si nada hubiese ocurrido, y el muñeco, que no era rencoroso, conversó con ellos cual si fuesen amigos desde mucho tiempo antes.

Aquel día salió muy contento de la escuela. Había aprendido que la letra *O* es redonda, que la *B* y la *A*, juntitas, quieren decir *BA;* que 2 y 2 suman cuatro, y ya le parecía que los libros no tenían secretos para él.

—¡Pronto sabré tanto como el maestro! — pensaba mientras se dirigía a casa del hada.

Por desgracia, Pinocho se juntaba siempre con los chicos más traviesos, a pesar de que el hada y el maestro lo reprendían con frecuencia por andar en tan mala compañía.

Un día, al ir a entrar en la escuela, tres o cuatro de aquellos muchachos lo invitaron a ir con ellos a la orilla del mar, donde, según decían, había aparecido un enorme tiburón.

Pinocho fué con el grupo, pero no había tal tiburón, y entonces comprendió el muñeco que se habían burlado de él. Se incomodó, discutieron y acabaron enzarzándose a golpes. Uno de los muchachos cayó al suelo, sangrando por la boca y por las narices, y Pinocho, asustado, echó a correr sin rumbo. Atravesó un bosque, al extremo del cual había una granja, de la que salió un feroz mastín que se puso a perseguir encarnizadamente al asustado muñeco.

Corriendo, corriendo, llegaron a la orilla del mar, de modo que a Pinocho no le quedaba más remedio que dejarse morder por el mastín o tirarse al agua. Optó por esto último, pero el perro se tiró tras él, olvidándose de que no sabía nadar. Cuando sintió que se iba al fondo, empezó a pedir auxilio, y Pinocho, compadecido, se acercó a él y le tendió una mano, al mismo tiempo que le decía:

—¿Me das palabra de caballero de que nunca más volverás a perseguirme?

—Te la doy —contestó el mastín, pataleando y agarrándose a la mano que le tendía el muñeco—. Y te juro que si alguna vez puedo pagarte el favor que ahora me prestas, lo haré con el mayor gusto.

Pinocho llevó al mastín hasta la orilla. Y en seguida, en vez de seguir caminando por la playa, volvió a tirarse al mar, no se sabe si asustado aún por el recuerdo del compañero herido o por miedo a que el mastín, viéndose seguro, se olvidase de su juramento.

Durante algunos momentos, nuestro amiguito nadó a lo largo de la playa y sin alejarse mucho de ella. Mirando hacia tierra observó que de unas peñas salía una columnita de humo, no mayor que la de una hoguera de las que encienden los niños en las calles de los pueblos, en vísperas de alguna festividad tradicional. ¡Si se tratase de alguien que estuviese haciendo de comer!... Con esta idea, por ver si descubría algo «cocineril», se acercó más a la playa, y de pronto notó que había caído prisionero en una red, entre cientos de pececillos que se agitaban inquietos a su alrededor.

Luego, la red fué arrastrada por alguien hacia la playa, y pronto quedó en seco. Por entre las mallas pudo ver Pinocho a un hombre cubierto de escamas, alto, grueso y enormemente feo, que era quien tiraba por la red.

Con todos los demás pescados, Pinocho fué llevado por el hombre a la cocina que tenía entre las peñas, y que era de donde salía el humo que aquél había visto cuando iba nadando. Allí, el pescador lo rebozó en harina, sin hacer caso de sus airadas protestas, y ya iba a echarlo en la sartén llena de aceite que estaba calentándose al fuego, cuando entró en la cueva el mastín que acababa de ser salvado por Pinocho, y apresando a éste entre sus fuertes mandíbulas, echó a correr por la playa adelante, sin darle tiempo al hombre para evitarlo.

Muy lejos ya de la cueva del pescador, el mastín se detuvo, dejó cuidadosamente a Pinocho en el suelo, y le dijo:

—Creo que te he pagado el favor que me hiciste. ¿Estás contento?

—Mucho — contestó Pinocho —. No puedo decirte que te debo la vida, porque el pescador no hubiera podido comerme, puesto que soy de madera; pero esto no quita ningún mérito a tu acción. ¡Muchas gracias, amigo mastín! Eres un buen muchacho. Y ahora dime una cosa, tú que seguramente conoces bien todos estos sitios: ¿qué camino debo seguir para llegar al pueblo de las Abejas?

El mastín, que había recorrido cientos de veces todos los senderos y caminos de la comarca, guió a Pinocho hasta la calle misma en que vivía el hada. A la puerta de la casa de ésta, Pinocho se despidió de su amigo, que se alejó a buen paso, pues por allí andaban muchos niños y sabía cómo las gastaban éstos con los perros.

El muñeco levantó el llamador de la puerta y lo dejó caer con toda su fuerza. Sabía que iban a retarlo, pero quería aparecer como un valiente.

—¿Quién llama? — preguntó una vez dentro de la casa.

—Yo, Pinocho, abran en seguida.

—¡Ah! ¿Eres tú? Espera, que bajo en seguida.

El que hablaba era el criado del hada, un caracol muy viejo y bastante reumático, que seguramente ya estaba acostado a aquellas horas. Pinocho le gritó que se apresurase, porque venía cansado y traía hambre.

—Voy en seguida — gritó el caracol —. Dentro de una hora, más o menos, estaré abajo...

Pero pasó aquella hora, y pasó otra más, y otra, y el caracol no aparecía. Fastidiado con tanta espera, Pinocho dió un puntapié a la puerta, y ésta en vez de abrirse, se rajó y dejó preso al muñeco entre sus astillas. Pinocho golpeó con la cabeza en la madera, tiró por la pierna presa como si se tratase de arrancar una planta con muchas raíces; gimió, protestó... ¡y nada! Allí tuvo que estarse hasta que el reumático caracol bajó, que fué cuando ya empezaba a amanecer.

Ayudado por el diligente criado del hada, Pinocho pudo librar su pierna de la trampa que él mismo se había tendido, por proceder con violencia; y después subió corriendo y fué a arrodillarse delante del hada, a quien le pidió perdón y le prometió que nunca más sería desobediente ni volvería a hacerse la rabona.

El hada no creía mucho en las promesas de Pinocho, pero lo vió tan afligido, que le perdonó, aunque le impuso por castigo que se acostase sin probar bocado.

Pinocho se aplicó mucho, desde entonces, y en los exámenes de fin de curso obtuvo las mejores calificaciones de la escuela.

Para celebrar este triunfo, el hada dijo a Pinocho que invitase a sus mejores amigos a ir a tomar con él galletitas y copas de leche. Contentísimo salió el muñeco a la calle para buscar a los amigos e invitarlos a la fiesta preparada por el hada. Al que más interés tenía en convidar era a Cirio, llamado así porque era muy delgado, alto y pálido. Lo encontró en la salida del pueblo, donde terminaban las casas y empezaba el campo. Estaba sentado en una piedra, y parecía esperar algo.

—¿Qué haces aquí? — le preguntó Pinocho.

—Es un misterio; pero a ti no tengo inconveniente en decírtelo, porque eres mi mejor amigo. Es más, quisiera que me acompañases.

—¿Adónde?

Cirio bajó la voz:

—Al país de los Juguetes. Vamos varios de estos contornos. Es un sitio donde no hay escuelas, maestros, libros... No se hace más que jugar. ¿Quieres venir?

Pinocho se rascó la cabeza, miró a Cirio, miró hacia el pueblo, se acordó del hada, pensó en Geppetto...

—Me estáis esperando, ¿no es cierto?

Pero, al fin, dijo que sí, porque dejaría de ser Pinocho si no se metiese en la nueva aventura.

Poco tiempo después vieron que se acercaba por el camino, marchando al son de sus campanillas, una carreta gobernada por un hombre barbudo y pequeñito y llena de muchachos que reían alegremente. Era la carreta que había de llevar a Pinocho y a Cirio, así como a todos los demás, al maravilloso país de los Juguetes:

Estaba pintada de muchos colores; tenía las ruedas forradas de trapos para que no hiciesen ruido, y de ella tiraban doce parejas de asnos enanos, poco más altos que perros, todos de pelaje gris y todos con los cascos metidos en botas de suela de goma y caña alta, como las de los marineros.

En el pescante iba sentado el enviado especial del país de los Juguetes, a quien, una o dos veces al año, se le confiaba la delicada misión de recorrer los pueblos buscando niños que estuviesen dispuestos a abandonar sus casas, sus estudios, sus afectos, para ir a vivir, libres de toda preocupación, al país en que, como había dicho Cirio, no se veía una escuela ni para un remedio.

Era un hombre pequeñito, de cara redonda y encarnada, con una pancita que parecía que iba a estallar dentro de la blusa con que se cubría. Sonreía siempre y su sola presencia bastaba para que los niños se resolviesen a seguirlo sin preguntar nada, ni a dónde iban, ni si volverían alguna vez al lado de sus padres.

Nunca iba dos veces a un mismo sitio, porque sabía que los padres que habían sido víctimas de sus artes de embaucador le esperaban armados de garrotes para darle una paliza. Viajaba siempre de noche, como los ladrones, y para pasar inadvertido, apelaba al recurso de forrar las ruedas de su vehículo y de calzar con botas de piso de goma los cascos de los burritos.

Antes, cuando los padres no estaban escarmentados, la carreta entraba en los pueblos, de día, haciendo mucho ruido, pues los asnos llevaban colleras de cascabeles y el conductor tocaba sin cesar una corneta.

Las mujeres y los niños recibían su visita con exclamaciones de alegría; creían que llegaban titiriteros, de esos que arman su tienda en un rincón de la plaza o en un solar que se cierra con alambrado. Cuando se convencieron de que lo que llegaba no era una diversión, sino, al contrario, una desgracia, la simpatía se convirtió en odio y la admiración en rabia.

Pero el gesto del hombrecillo siguió siendo el mismo. Sonreía siempre; no hacía más que sonreír.

Así se acercó a Pinocho y a Cirio.

—¡Hola, pequeños! — les dijo —. Me estáis esperando, ¿no es cierto?

—Sí, señor — contestó Cirio.

—Sí, señor — repitió Pinocho.

—¡Caramba, caramba! — siguió diciendo el hombrecito —. Tendréis que ir un poco incómodos, porque la carreta, como veis, va llenita. Pero, con buena voluntad, todo se arregla, ¿verdad, hijitos? A ver, subid pronto, que el tiempo apremia...

En la carreta iban, entre muchos otros, Juanito, el hijo del colchonero; Carlos el Pecoso; Martín, el hijo de la viuda...

Pinocho dijo a su compañero en voz baja:

—Yo no voy ahí. Parecen sardinas en banasta.

Cirio no le contestó. Mirando al hombre de la carreta, le preguntó:

—¿Puedo ir en las varas?

—Claro que puedes, querido; sube ya.

Cirio dió un salto y se acomodó en una de las varas, apoyando una mano en las ancas del burrito que tenía más cerca.

El conductor se volvió entonces a Pinocho, que permanecía indeciso a un costado del camino.

—¿Y tú, buen mozo, qué haces que no subes?

—Lo he pensado mejor, y me quedo. ¡Que les vaya bien!

—No seas cobarde, Pinocho — le gritó Cirio —. ¡Ven, ya verás cuánto nos divertimos! ¡Vamos, sube!

—No, no voy.

—Tú te lo pierdes, amiguito — exclamó el hombre de la carreta —. Antes de que llegues a tu casa estarás arrepentido; pero entonces será tarde...

—No voy, no; prefiero estudiar.

Una carcajada recibió estas palabras del pobre muñeco.

—¿Estudiar? — dijo el hombre —. ¡Lindo provecho vas a sacar de eso! Todos esos que ves ahí — añadió señalando a los burritos que tiraban de la carreta — han estudiado, y ya ves de qué les sirvió. Anímate, anímate; déjate de tonterías.

Cirio le hacía señas para que se apresurase.

Los otros niños, sin dejar de burlarse de Pinocho, le decían al hombre que se pusiese en marcha, que no hiciese caso de aquel mentecato que prefería quedarse para seguir yendo a la escuela.

—Bueno — dijo por fin el carretero, levantando el látigo para hacerle restallar sobre los lomos de los sufridos burritos —, no quiero decirte más. Como llevo la carreta llena, un niño más o menos no me importa. ¡Adiós!

La carreta se puso en movimiento; entonces Pinocho levantando los brazos, gritó:

A horcajadas sobre el lomo del animal.

—¡Un momento! Yo no quiero ser burro de carga, ni quiero que me lo llamen... A ver, hacedme un sitio entre vosotros — añadió dirigiéndose a los niños que llenaban la carreta.

—Aquí no hay sitio — gritaron todos —. Ya vamos muy apretados. Haz como Cirio, acomódate en las varas.

—No lo consiento — atajó el carretero —; éste irá en el pescante, para que vea que lo estimo.

Y al decir esto, se echó al suelo y agarró a Pinocho de una mano para ayudarle a subir al pescante.

El muñeco rechazó aquella mano, preguntando al que se la tendía:

—¿Y usted?

—¡Oh, no te preocupes! Iré caminando.

—No puedo consentirlo; usted es un anciano y...

—Y tú un mocoso — le replicó el hombre, a quien no le gustaba oírse llamar viejo —. Vamos, sube pronto, que estamos perdiendo más tiempo de lo que vales tú.

Decía esto sin dejar de sonreír y convencido de que, dijese lo que dijese, ya no se le escaparía aquel pajarito que acababa de caer en sus redes.

—Yo iré — aseguró Pinocho — montado en uno de los burritos.

Y, sin pensarlo más, dió un salto y cayó a horcajadas sobre el lomo del animal que tenía más cerca.

Pero el burro no le dió tiempo para afianzarse; apenas lo sintió sobre sí, pegó un bote y lo despidió por encima de las orejas.

La carcajada con que fué recibida aquella caída resonó de tal modo en la noche, que hasta la luna pareció inclinar su cara redonda para ver qué pasaba allí.

El comisionado del país de los Juguetes, sin alterarse nada, se acercó a Pinocho con intención de ayudarle a levantarse, pero ya el muñeco, como si fuese de goma, estaba de pie mirando amenazadoramente al que le había hecho aquella mala partida.

Murmuró entre dientes:

—¡Me las vas a pagar!

Y dando otro salto, ¡cataplum!, se enhorquetó en el burro con una furia que le hacía apretar los dientes y los puños.

Los mismos que antes se habían reído al ver rodar a Pinocho, lanzaron una exclamación de entusiasmo ante la agilidad de que acababa de dar muestras:

—¡Viva Pinocho! ¡Vivan los jinetes!

Pero ¡bueno era el burro para dejarse vencer así no más por un muñequito de madera, por muy buen jinete que lo creyesen sus camaradas! Moviendo ágilmente la cabeza, se encabritó y por segunda vez despidió a Pinocho, que cayó pataleando.

El hombre de la carreta, que veía que con aquellas desconsideraciones de su asno iba a perder un cliente para su viaje, y precisamente aquel que menos interés había demostrado, se acercó al animalito y poniéndole la boca cerca de una de las orejas, como si fuese a contarle algún secreto, le dió un mordisco que le hizo ver el sol, y no decimos las estrellas, porque éstas, como era de noche, las veía cualquiera.

En seguida se volvió hacia Pinocho y le dijo:

—Ya puedes montar tranquilo. Acabo de recordarle a mi burrito que no se debe ser tan poco fino con los viajeros.

Pinocho montó sin que advirtiese ninguna hostilidad en su cabalgadura, y el hombrecito, encaramándose en el pescante, hizo restallar su látigo, con lo cual la carreta se puso en marcha.

Los niños empezaron a cantar con toda la fuerza de sus pulmones, porque estaban ya en despoblado, y no había peligro de que fuesen a sorprenderlos sus padres o sus hermanos.

Entre aquella algarabía, a Pinocho le pareció oír una voz que murmuraba:

—No me has entendido, estúpido. Yo quería salvarte, y tú te has empeñado en perderte...

El muñeco creyó comprender que aquellas palabras iban dirigidas a él, pero ¿quién las pronunciaba? ¿De dónde salían?

Miró a todas partes; el hombrecillo iba canturreando en el pescante; los compañeros de aventura seguían cantando. Los burritos trotaban mansamente. A los costados del camino no había nadie...

—¡Bah! — pensó Pinocho, apretando los talones a su cabalgadura —. Me cantan los oídos, sin duda. ¿Por qué me habían de hablar a mí, precisamente a mí?... ¡Arre, arre!...

Media legua más allá, la voz volvió a resonar:

—¡Torpe, más que torpe! No has comprendido mis advertencias, y muy pronto estarás arrepentido de haberte embarcado en esta aventura. Dejas a tu protectora, huyes de los deberes de todo buen niño, te has olvidado de que mañana ibas a recibir a tus amigos y acaso a dejar de ser muñeco... Y todo por correr tras los juegos que te han anunciado como inacabables. ¡Te arrepentirás más pronto de lo que crees! Te lo asegura quien, por no seguir los sanos consejos que le dieron, se ve reducido a una condición humillante... ¡Torpe, más que torpe!

A Pinocho ya no le cupo la menor duda acerca de que aquellas palabras iban dirigidas a él. Pero, ¿quién las pronunciaba?

¡No podía ser otro que el burrito! Pinocho se agachó cuanto pudo sobre el cuello del animal, y vió que éste sacudía las orejas como diciendo: «¡Sí, sí! ¡Yo soy!».

¡Su amigo también tenía adornada la cabeza!

Pinocho se torció hasta poder verle casi de frente la cabeza. Y tuvo una sorpresa mayúscula: el burrito iba derramando unos lagrimones como cerezas.

Volviendo a acomodarse en el lomo del animal, Pinocho se volvió hacia el hombrecillo del pescante:

—¡Oiga! ¡Eh!—le gritó—. Este burro va llorando como un niño...

El cochero hizo restallar el látigo:

—Será como un niño que llora, porque éstos—replicó señalando a los que iban en la carreta—ya ves que no lloran, sino que cantan...

—Lo que usted quiera; pero va llorando. ¿No puede hacérsele algo?

—Puedes hacerle cosquillas, para que se ría.

—Déjese de bromas.

—Y tú déjate de hablar y de impresionarte por lo que hace o deja de hacer un asno. Eso se le pasará en cuanto le ponga delante del hocico un puñado de cebada.

—Es que... Me ha parecido oírle hablar.

—Sí, hace como los loros; repite algunas palabras que ha aprendido, sin saber lo que quieren decir. ¡Arre, arre!

Repartió unos cuantos fustazos entre los veinticuatro borriquillos, y el viaje continuó tranquilamente.

Caminaron toda la noche, y al amanecer llegaron al término de su viaje. En el país de los Juguetes, como había anunciado Cirio, no había escuelas, libros ni maestros. Allí cada uno hacía lo que le daba la gana. En medio de las calles, en los parques, en todas partes, había calesitas, toboganes, canchas de pelota, mesas para el tatetí bazares de juguetes, en los que podían tomarse libremente cajas de soldaditos de plomo, caballos de cartón, sables y escopetas que se **reponían** nadie sabía cómo, pues nunca se veían vacías las estanterías.

Pinocho y sus compañeros se entregaron a jugar como

si nunca lo hubiesen hecho, y de esta manera pasaron los meses de verano, sin interrumpir sus diversiones más que unas cuantas horas de la noche, durante las cuales, más que descansar, se tomaban nuevos ánimos para proseguir saltando, corriendo, destrozando, olvidándose de lo poco bueno que habían aprendido.

Al despertar Pinocho una mañana, sintió que algo extraño le pesaba en la cabeza. Se llevó las manos a los lados de la cara, y con verdadero horror advirtió que le habían nacido unas fenomenales orejas de burro.

—¡Qué vergüenza! — exclamó cuando estuvo plenamente convencido de la triste verdad —. Ahora todos me van a llamar jumento... Pero me está bien empleado por no haber hecho caso de los consejos del hada. ¿Qué voy a hacer ahora?

Lo primero que se le ocurrió fué ir a contarle su desgracia a Cirio. Echó a correr hacia la casa de éste, y allí lo esperaba una nueva sorpresa. ¡Su amigo también tenía adornada la cabeza con unas solemnes orejas de burro!

El sentimiento de vergüenza les hizo quedarse un momento serios y cariacontecidos, mirándose tristemente; pero luego se echaron a reír, como si en vez de un estigma de ignominia, hubiesen recibido un galardón. De pronto, sus risas empezaron a parecer rebuznos, y al mismo tiempo los brazos y las piernas de los dos amigos se cubrieron de pelos duros, como los de los asnos. Luego le nació a cada uno una cola, y ya los tenemos convertidos en verdaderos burros, en burros de cabo a rabo.

Como si alguien le hubiese pasado aviso de lo que ocurría, poco tiempo después apareció en la casa de Cirio el hombrecito que los había conducido en su carreta, y colocándole a cada uno un ronzal se los llevó a la feria del pueblo, donde ya había una enormidad de burros de todo pelaje y tamaño, que sin duda eran los demás escolares que habían huído de sus casas para ir al país de los Juguetes.

Algunos compradores se acercaron al hombrecillo que conducía a Pinocho y a Cirio, y uno de aquéllos adquirió a este último para utilizarlo, según dijo, en el acarreo de verduras al pueblo.

Pinocho fué comprado por el dueño de un circo, con el propósito de amaestrarlo para que tomase parte en las funciones que daba por los pueblos y ciudades de la región.

El hombrecito de la carreta se quedó restregando las manos, lleno de satisfacción, porque el negocio no podía marchar mejor para él. Recogía niños por los pueblos, engatusándolos con las maravillas del país de los Juguetes, y pasado un tiempo prudencial, valiéndose de sus artes mágicas, los transformaba en burros y los vendía según hemos visto.

En cuanto el director del circo llegó a la tienda con Pinocho, lo condujo a la cuadra, lo amarró a una argolla de hierro y le puso en el pesebre unos puñados de paja picada.

Pinocho, que tenía hambre, pues desde el día anterior no había probado bocado, acercó el hocico al pesebre y se dispuso a consumir su ración, pensando: «A falta de pan, buena es la paja».

Pero eso pueden decirlo los asnos de verdad, y Pinocho sólo lo era por la apariencia. Así que la paja le supo a eso, a paja, y lanzando por las narices un pequeño huracán, dejó limpio el pesebre.

El hombre del circo, comprendiendo que su animalito no era partidario de la paja, le sirvió una brazada de heno.

Pinocho probó el heno con el mismo resultado: ¡no

le gustaba! Resopló con fuerza, y otra vez quedó limpio el pesebre.

Su amo, al observar esto, levantó el látigo con ademán amenazador.

—Qué delicado eres — le dijo —. No querrás que te dé bizcochos, ¿verdad, precioso?

Y al decir esto dejó caer el látigo sobre el lomo de Pinocho, que instintivamente lanzó una formidable coz.

—¡Ah! También sabes cocear, ¿eh? — gruñó el hombre —. Pues ¡toma!...

Y le dió otro latigazo.

Pinocho hizo fuerzas para no lanzar otra coz; comprendió que estaba en manos de aquel hombre cruel y que todo intento de rebeldía sería reprimido a fustazos. Cambió de táctica, pues, y en vez de cocear se limitó a rebuznar.

—¡Ho, ho, hooo!...

El hombre volvió a levantar el látigo una vez más. Pinocho, que, desde que se hallaba en aquel estado, no había intentado hablar, creyendo que no podría, sacó fuerzas de flaqueza para decir algunas palabras, y con gran alegría comprobó que podía hacerlo sin dificultad.

—No me gusta el heno — dijo.

—¡Ah, muy bien! — replicó el hombre —. Cómete la paja.

—La paja me gusta menos que el heno.

—Pues tendrás que acostumbrarse a las dos cosas, porque yo no tengo la costumbre de alimentar a mis burros con bifes.

—Es que yo soy un poquito delicado del estómago — se atrevió a decir Pinocho.

—Vaya — exclamó riendo el hombre —; yo creía que había comprado un burro, pero resulta que he traído a mi tienda una damisela. ¿Quiere usted que le traiga un poquito de magnesia, señorita? — agregó burlonamente, al mismo tiempo que descargaba un nuevo latigazo sobre el lomo de Pinocho.

Este tuvo a bien callarse, y el hombre se retiró dando un portazo.

—¿Qué hago: como o no como? — empezó a pensar Pinocho —. La verdad es que la paja y el heno no me gustan nada; pero ahora yo soy un burro, y lo natural es que me gusten las dos cosas. Sobre todo, que no veo trazas de que vayan a darme otra comida, y para mucha hambre no hay pan duro... Probaré.

Con el hocico recogió el heno que antes había despreciado; lo comió, y no pudo menos de reconocer que sólo tenía un defecto: que era poco.

Acabado el heno se dedicó a recoger la paja, y cuando le hubo dado fin, pensó que aquello no era tan malo como había creído al principio.

Por algo se dice que a todo se acostumbra uno, hasta a hacer el burro.

Después de aquel refrigerio, Pinocho se sacudió los costados con la cola, dió dos o tres vueltas sobre sí mismo, como si tratara de verse por detrás, y finalmente se acostó en un rincón, resignado con su mala suerte.

Quedóse dormido poco después, y soñó con albardas, con cabezadas, con estribos, con látigos, con pilas de cebada, con calderadas de afrecho, en fin, con todo lo que puede soñar un burro.

Cuando despertó, por la mañana, como sentía hambre, se puso a recorrer la cuadra para ver si encontraba algo que mandarse al estómago; pero se lo había comido todo la noche anterior y tuvo que resignarse a roer las tablas del pesebre.

En esa tarea estaba cuando entró el dueño del circo, quien, al verle así, le dijo:

—¿Hay apetito, eh? Me alegro, me alegro. Creo que así nos entenderemos bien. Yo no te escasearé el pienso siempre que tú te portes como es debido. Puedes llegar a ser la mejor atracción de mi circo. Te enseñaré a saltar, a contar, a atravesar por un aro cubierto de papel. En pago te daré la paja picada y te pondré en el pesebre una piedra de sal para que te rasques la lengua. Vamos; quiero empezar en seguida a instruirte.

Así supo Pinocho el destino que le había señalado el hombre del látigo. Sería un burro amaestrado. Distraería a los niños con sus habilidades. ¡Menos mal! Mucho peor hubiera sido que le engancharan a un carro y que tuviese que andar repartiendo verduras por las calles o arrastrando cargas de leña del monte a la ciudad.

A fuerza de ensayos inacabables y de gritos y latigazos, Pinocho fué perfeccionándose en su oficio.

Aprendió a ponerse derecho sobre sus patas traseras, avanzando como un perrito por la pista; aprendió a dar vueltas al compás de la charanga desafinada del circo; aprendió también a atravesar de un salto un aro cubierto de papel de colores.

Su amo y educador estaba satisfecho de la aplicación de su discípulo.

¡Qué lástima que no lo hubiese sabido antes, cuando era muñeco! Pero ahora era tarde para lamentaciones.

Cuando supo todo lo que debía saber, Pinocho fué presentado por su amo en una función que se había anunciado como extraordinaria, precisamente a causa del «debut» de Pinocho.

El dueño del circo había hecho gran propaganda del espectáculo que se disponía a presentar al respetable público de aquella culta y progresista ciudad, como decían los volantes multicolores que una turba de chiquillos repartió por todas las calles, callejas, callejuelas y callejones del pueblo de las Abejas.

En las paredes y vallas se habían fijado grandes carteles que decían textualmente:

¡Hoy - Hoy - Hoy!
Espectáculo nunca visto, nunca oído, nunca gustado.
Función de doble gala,
dedicada a las damas, a los caballeros
y a los infantes e infantas
de esta culta y virtuosa ciudad.

Presentación del conjunto de fieras más nutrido
y más esmeradamente seleccionado
del mundo y sus alrededores.
¡Número sensacional!
Debut absoluto del rey de los asnos amaestrados:
Pinocho matemático. - Pinocho bailarín.
Pinocho equilibrista. - Pinocho músico.
¡¡Todos a ver al inconmensurable Pinocho!!

Y, en efecto, todos — a excepción de algunos ancianos que no podían levantarse de los sillones en que les tenía postrados el reumatismo —, todos acudieron a aquella extraordinaria función.

Pocas horas después de abierta la taquilla, hubo que colocar en ella un cartelito que decía:

Se acabaron las entradas.
Pero, pagando, puede entrarse igual.

Empezó el espectáculo con un desfile de todos los elementos que formaban la «troupe», menos el «rey de los asnos amaestrados», como se había anunciado a Pinocho.

Eran dos perritos de lanas, que bailaban al son de un cornetín; un caballo que no sabía hacer nada más que tirar del carro en que la compañía se trasladaba de un pueblo a otro; un loro desplumado que repetía sin cesar: «¡Yo soy Pedrito! ¡Yo no quiero ir a la escuela!»; dos payasos que decían las gracias inocentes que dicen los payasos de todos los circos pobres del mundo; y el director, que hacía juegos de manos, daba vueltas en el trapecio y restallaba el látigo con una fuerza y una frecuencia completamente inútiles.

Cada uno de los números hizo lo que pudo para arrancar el aplauso al público; pero éste estaba ansioso de ver a Pinocho, y no se hartaba de pedir:

—¡Que salga Pinocho! ¡Que salga Pinocho!

La presentación del número sensacional estaba reservada para la segunda parte. Y como todo llega en este mundo, esa segunda parte llegó también.

El cornetín anunció el número. Y en seguida, en medio de la general expectación apareció en el centro de la pista el director de la compañía, quien, después de dar dos o tres restallidos con su indispensable látigo, hizo una profunda reverencia al público de los palcos, otra menos profunda al de las plateas, y una tercera casi nada profunda al de la entrada general. Después pronunció un disparatado discurso anunciando el número sensacional de la función, que, según decía, había sido aplaudido por todos los soberanos de Europa, la China, la Indochina y la Cochinchina.

Se retiró dando un saltito, como si hubiese tropezado con algo, y al poco rato volvió trayendo del ronzal a Pinocho.

Este venía vestido de fiesta: en las orejas y en la cola, grandes moños encarnados; sobre el lomo, una manta amarilla sujeta con una cincha blanca; y todo él, peinado, lavado y acicalado con esmero.

El público estalló en una ovación al verle. Pinocho se emocionó; le hubiera gustado dar las gracias por aquel cariñoso recibimiento; pero el amo teníale prohibido lanzar rebuznos cuando estaba emocionado, porque sonaban bastante mal.

—Saluda — le ordenó el amaestrador.

Pinocho se arrodilló con las patas de delante, y colocó entre ellas la cabeza, permaneciendo así, muy quietecito, unos instantes.

El público aplaudió.

—¡En pie! — ordenó el hombre.

Pinocho se puso sobre sus cuatro patas.

Restalló el látigo del director, y éste exclamó:

—Caballero Pinocho, sírvase usted decirnos cuánto suman dos y dos.

Pinocho dió en el suelo, con una de las patas delanteras cuatro golpecitos.

—Muy bien; el caballero Pinocho nos dice que dos y dos son cuatro.

El público aplaudió con sincero entusiasmo, y algunos exclamaron:

—¡Qué burro más listo!

—Ahora, caballero Pinocho — siguió diciendo el domador —, va usted a dar una vuelta completa a la pista, sobre sus patas traseras y obedeciendo las órdenes que me digne impartirle. ¡Atención!

Pinocho se puso sobre las patas traseras y empezó a caminar a pasitos cortos.

De pronto el hombre le gritó:

—¡Una vuelta!

Pinocho dió una cabriola agilísima, y continuó marchando. Hacia la mitad del paseo, el burrito escuchó otra vez la orden de dar una vuelta, cosa que obedeció al instante. Y así volvió al punto de partida, entre los aplausos de la concurrencia.

—Muy bien, caballero Pinocho — dijo el del látigo —. Ahora tendrá usted la amabilidad de dar tres vueltas seguidas a la pista; la primera, al paso; la segunda, al trote; y la tercera, al galope. Al final le entregaré el premio que corresponde a su hazaña. ¡Ya!...

Pinocho tuvo la amabilidad, como decía su patrón, de dar las tres vueltas, y al acabar la última, éste extrajo de su cintura un pistolón y apuntando al aire, disparó con pólvora sola.

Al escuchar la detonación, Pinocho, fingiéndose herido, se dejó caer pataleando.

¡Aquello fué el delirio de aplausos y de vivas! La ovación duró cinco minutos, lo menos.

Algunos padres decían en voz alta:

—¡Es un portento ese burro! ¡Ojalá fuese así mi hijo!

Y otros exclamaban, dirigiéndose al domador:

—Si no te haces rico con ese animal, el animal serás tú.

Pinocho, al dejarse caer, dirigió la vista hacia un palco cuya única ocupante ya le había llamado antes la atención. Quería comprobar una terrible sospecha...

¡Sí, no cabía duda! ¡Era el hada! Estaba allí mirándole con ojos tristes, como si fuese a llorar. ¿Sabría que era él? ¿Qué pensaría de verle en aquella triste condición de burro de circo? ¿No se le ocurriría desencantarlo, librarlo de su piel peluda, de sus cuatro patas, de su cola?

Estas y otras preguntas, que en tropel confuso acudían a la mente de Pinocho, le emocionaron tanto, que no pudo evitar que un quejido subiese a sus labios, sólo que al llegar a éstos se convirtió en un rebuzno, que resonó lamentablemente bajo la lona de la carpa.

El director, que le había prohibido terminantemente que expresase sus emociones en esa forma tan poco agradable para la distinguida concurrencia que acudía a sus selectas funciones, levantó el látigo, pero tomado por la parte de arriba, y se lo dejó caer en el lomo por la parte del puño.

Pinocho se incorporó más que de prisa y empezó a lamerse la parte dolorida. La gente, creyendo que aquello formaba parte del programa, aplaudió a su gusto, y algunos pidieron a voz en grito:

—¡Que se repita! ¡Bis, bis!

El domador, por su parte, acercándose al burro, le gruñó al oído, fingiendo que lo acariciaba:

—¿Cómo tengo que decirte que delante del público no quiero que rebuznes? Si vuelves a hacerlo, te desuello.

Pinocho agachó la cabeza, y como lo único que en aquel momento le interesaba era el palco del hada, se volvió con disimulo hacia él, pero ¡qué pena!, el palco estaba vacío.

—Muy bien, caballero Pinocho — exclamó el hipócrita del domador —; se ha portado usted magníficamente. Ahora vamos a ofrecer a tan calificada concurrencia unos saltitos a través del aro empapelado.

Tomó un aro recubierto de papel de diversos colores, y poniéndose a unos pasos de Pinocho, se lo presentó con el brazo extendido.

—¡Ya! — le gritó.

Pinocho echó a correr. El público contuvo el aliento. A un bebé que en ese momento empezó a chillar entre los brazos de su mamita, le hicieron callar a fuerza de gritos.

La prueba se había interrumpido por causa del albo-

Tomó un aro recubierto de papel...

roto; cuando éste cesó, domador y burro volvieron a empezar:

—¡Ya!

Saltó Pinocho para atravesar el papel que recubría el aro, pero con tan mala fortuna lo hizo, que las patas traseras se le engancharon en el cerco de madera, y en vez de caer airosamente, como era su deseo y la esperanza del público, rodó de mala manera, echando a perder la prueba.

Lo peor no fué eso; lo peor fué que se dislocó una pata delantera y hubo que retirarlo a toda prisa para darle unas fricciones de soda, que era lo único que había disponible en las bien surtidas dependencias del gran circo.

Como tardaba en volver, el respetable público empezó a reclamar su presencia dando gritos y golpeando con los pies en los asientos. El director tuvo que salir a explicar lo que ocurría, y ya el resto de la función no tuvo interés ninguno.

Pinocho pasó una noche malísima, y al día siguiente hubo que llamar al veterinario para que le recetase alguna cosa.

El veterinario le examinó la parte lastimada, y declaró que lo único que cabía hacer era desprenderse del animal, porque iba a quedarse rengo para el resto de su vida.

—¡Qué mala pata la mía por causa de la mala pata de Pinocho! — se lamentó el domador —. Ahora que lo había amaestrado y que empezaba a llamar la atención del público, tengo que deshacerme de él... Bueno, lo llevaré a la feria y procuraré sacar de él el mejor partido posible.

Puesto en venta nuevamente, Pinocho fué adquirido por un viejecito que, según dijo, lo quería para arrancarle la piel y hacer con ella parches para tambores. Pinocho hubiera querido protestar, pero, como estaba convertido en burro, no pudo hacer más que lanzar un rebuzno y seguir a su nuevo dueño, el cual lo condujo a la orilla del mar, le amarró una cuerda al cuello, y, dándole un fuerte empujón, lo arrojó al agua, quedándose con el extremo de la soga en las manos.

Cosa de media hora estuvo Pinocho sumergido; al cabo de ese tiempo, el hombre empezó a tirar de la cuerda, suponiendo que ya el burrito estaría muerto, pues éste era el procedimiento que seguía para matar a los animales que compraba con objeto de proveerse de materia prima para su oficio de fabricante de parches para tambores.

Pero, contra lo que el viejo esperaba, lo que apareció al extremo de la cuerda no fué un burro muerto, sino un muñeco que se sacudía terriblemente.

—¡Cómo!—exclamó el hombre, estupefacto—. ¿Y mi burro?

Pinocho, que había recuperado su buen humor, replicó:

—Soy yo.

—Tú eres un pillete que tratas de burlarte de mí—gritó el viejo—. Pregunto qué ha sido de mi burro. Y si no me contestas en seguida y a satisfacción, daré parte de ti a la policía, por ladrón.

Pinocho comprendió que debía proceder con rapidez, y acercándose disimuladamente a la orilla, estando ya libre de la cuerda, dió un salto y se lanzó al agua.

En algunas brazadas se alejó de aquel lugar. ¡Qué ágil, qué contento se sentía! La alegría de verse de nuevo en su primitiva forma, sin las orejas vergonzosas que le habían nacido en aquel desdichado país de los Juguetes, le hacía saltar entre las olas como un delfín, marchar grandes trechos por el aire como un pez volador, hundirse de cabeza y volver a la superficie lanzando por la nariz un chorro de agua, como un hallenato.

Cuando se dió cuenta, estaba tan internado mar adentro, que ya la costa no se veía. Púsose boca arriba para descansar, y en esa postura vió pasar por encima de él, a gran altura, una gaviota.

—¡Eh, señora gaviota! ¡Oiga! ¿Quiere acercarse un poquito? — le gritó.

La gaviota bajó planeando graciosamente, se posó sobre el mar, al lado del muñeco, y le dijo:

—¿Qué se te ocurre?

—Si sigo en la dirección que llevo, ¿tardaré muchos días en llegar a tierra?

—Te aconsejo que no sigas más adelante, pequeño — contestó el ave —. Estos mares están llenos de peligros, porque no hay policía marítima, y puedes tener algún mal encuentro.

—¿Con quién? — preguntó Pinocho, un tanto intrigado—. Supongo que por aquí no habrá zorros ni gatos ladrones...

—No hay zorros ni gatos; pero desde hace algún tiempo merodea por estos lugares un asaltante solitario que ha espantado a la población piscícola. Por eso no se encuentra un pejerrey ni para un remedio. Nosotras, las gaviotas, hemos tenido que largarnos a otra parte, porque ese individuo nos ha dejado limpio el comedero.

—¿Y quién es ese maleante?

—Un tiburón enorme, al que nosotras le llamamos el Terror de los Mares.

Pinocho comprendió que era el mismo tiburón de que ya había oído hablar en anteriores ocasiones, y como no quería habérselas con él, dió gracias a la gaviota y se volvió a prisa hacia la tierra que había abandonado algunas horas antes.

Veía ya la costa; se iba acercando a unos peñascos, y de pronto, en lo alto de uno de ellos, le pareció divisar una cabrita. ¿No le engañarían sus ojos? ¡Claro que no le engañaban! Era una cabrita de cuernos graciosamente retorcidos, pelo dorado, muy dorado, tan dorado — pensó Pinocho — como el de *ella*... El recuerdo del hada bondadosa se apoderó de Pinocho. ¡Qué buena era y qué malo había sido él! Había despreciado sus consejos, había huído de su lado, y ahora andaba perdido por el mar, como un pez huérfano... ¡Si fuese el hada aquella cabrita!

Pero, ¿cómo había de llegar hasta allí? Claro que el hada tenía mucho poder, porque por algo era hada; pero, ¿sería posible que le fuese siguiendo los pasos hasta allí?

Todo esto lo iba pensando Pinocho según iba acercándose al peñasco en cuya cima estaba la cabrita. Y ya no le faltaba mucho para llegar al pie del escollo, cuando sintió que aquélla le gritaba con una voz verdaderamente humana:

—¡Cuidado, Pinocho!... ¡Nada hacia la derecha!

Pinocho, instintivamente, obedeció.

—¡A prisa, Pinocho, a prisa!... — volvió a gritarle la cabrita.

Pinocho movió los brazos y las piernas con la agilidad de un molinete movido por el soplo de un viento de tormenta.

—¡Más, más!...

—¿Más aún? — pensó Pinocho —. ¿Habrá un concurso de natación?

Iba a volver la cabeza para ver a sus competidores, pero la cabrita, comprendiendo sin duda sus intenciones, le gritó:

—¡No mires!... Si miras, estás perdido. ¡Apúrate! Trata de llegar a la parte de atrás de este islote, y tal vez por allí puedes subir... ¡Nada fuerte! ¡Más fuerte!

Pinocho no podía nadar más fuerte. Quiso decírselo

así a su guía, pero, al intentar hablar, la boca se le llenó de agua, y únicamente fué capaz de lanzar una especie de gruñido.

Este pequeño incidente le hizo perder un poco del formidable impulso que llevaba, y entonces la vocecita volvió a dejarse oír apremiante:

—¡Dale, Pinocho, dale! ¡Apúrate, que ya está muy cerca!...

Decididamente, alguien iba tratando de competir con él. Algún pescador andaba nadando por allí, y sin duda quería demostrarle que lo hacía mejor que él. Pinocho, vanidoso como era, sobre todo en cuestiones de natación, no estaba dispuesto a dejarse vencer así como así. Y saltó materialmente sobre las olas, en un impulso violento.

—¡Bien, bien, Pinocho!... Sigue así y te salvarás... ¡Animo!

No le faltaba ánimo al muñeco; lo que empezaba a faltarle era la fuerza, porque resultaba ya demasiado lo que les había exigido a sus brazos, a sus piernas, a todo su cuerpo.

Pero, ¿quién sería el que de tal manera le hacía apurarse? Pinocho no pudo dominar su curiosidad. Volvió la cabeza, ¿y qué vió?

¡Vió al Terror de los Mares! Sí; el que el creía un pescador que trataba de vencerle en un improvisado concurso de natación, no era tal pescador, sino el terrible tiburón malvado de que tantas veces había oído hablar con indignación y espanto.

Estaba allí, a pocas brazadas de él, con su cabezota descomunal, con su imponente boca abierta, en la cual brillaban tres filas de dientes afilados como puñales.

El terror le hizo cerrar los ojos. Aun nadó un rato,

pero ya el miedo se había apoderado de él, y las fuerzas empezaban a faltarle.

La cabrita, allá en lo alto de la peña, le daba ánimo, le gritaba, pero el Terror de los Mares le había sacado toda la ventaja que llevaba, se acercaba a él, le tocaba con la nariz en los pies, y finalmente se lo sorbió como si fuese un poroto nadando en un plato de sopa.

El tiburón hizo: «¡Gluc!», y Pinocho sintió que caía en una sima profunda, tropezando en unas cosas duras y rodando como un pelele sin vida.

Al fin, se detuvo. Quedó sentado, medio cubierto de agua, aturdido. Cuando se repuso un poco, miró en torno. ¡Qué oscuro estaba aquel lugar! Eso sí, no podía decir que no era ventilado, porque cada muy poco tiempo entraba una bocanada de aire... Al acostumbrarse a la penumbra, vió que allá delante brillaban tres hileras de espadas. Y entonces lo comprendió todo. Esas tres hileras de espadas eran los dientes del tiburón. ¡Por lo tanto, estaba en el estómago del Terror de los Mares!

No pudo ponérsele la carne de gallina porque ya sabemos que era de madera; pero si fuese un niño de verdad, ¡vaya si se le pondría!

Y si tuviese cabellos, se le pondrían más derechos que palos de tambor. Es fácil comprender su espanto. ¡Había caído en poder del ser más cruel que podía imaginarse! Y allí no le valdrían las artes del hada, porque él no creía que ésta pudiese extender su poderío hasta el buche de los tiburones.

¡Adiós alegría de verse libre! ¡Adiós ilusiones de regenerarse! ¡Adiós esperanzas de ser niño!

¿Y si intentase escapar de aquella cárcel? Lo intentaría. La esperanza es lo último que debe perderse, ¡qué caramba!

Con el agua al pecho avanzó hacia los dientes del monstruo. Si alcanzase a colarse por entre ellos, volvería a nadar, y quién sabe si, al verlo la cabrita, lo transformaría en un pájaro o en una mariposa.

Estaba cerca ya de aquella imponente barrera de dientes, cuando al tiburón se le ocurrió aspirar, y allí se acabaron las esperanzas de Pinocho.

Algo así como un huracán entró en el interior del monstruo, y arrastró al muñeco como una débil brizna de hierba, arrojándolo aún más atrás de donde había estado antes.

Pinocho advirtió que en confuso tropel habían entrado pejerreyes, anchoas, corvinas, cangrejos y un pulpo que empezó a lanzar tinta como para escribir veinte o treinta cuadernos de deberes.

Viéndose perdido, Pinocho gritó desesperado:

—¡Auxilio! ¡Que vengan los buzos a salvarme! ¡Socorro!...

Allá del fondo, una voz le mandó callar con un tono de mal humor que acabó de asustar a Pinocho.

—¡Vaya una manera de gritar! ¿No le da vergüenza? ¡Cállese!

Pinocho se volvió hacia aquel lado.

—¿Cómo quiere que me calle si me ha tragado el tiburón?

—¿Y usted cree que yo estoy en el teatro? — replicó el otro —. También a mí me ha tragado, y ya ve que no alboroto.

—Bueno — dijo Pinocho —, ¿y puede saberse quién es usted?

—Soy un besugo huérfano — contestó aquel otro prisionero, acercándose a Pinocho —. Hace una semana que estoy aquí, sin poder salir. ¿Y qué clase de pez eres tú?

—¡Avise! Yo no soy ningún pez. Soy un muñeco de madera. Pinocho, para servir a usted...

—Y entonces, ¿cómo has sido tragado por el tiburón?

—Andaba de paseo por ahí, y este bárbaro parece que no respeta a nadie, ni a los paseantes. Pero yo tengo que salir; ¿cómo cree que podría conseguirlo?

—También tendría que salir yo, pero es imposible. Debemos resignarnos a ser digeridos por el tiburón.

Pinocho dió un salto, chapoteando en el agua:

—¿Digerido yo? ¡No, nunca, no quiero!...

—Pues cuéntaselo al que nos tiene en salmuera. Por lo que a mi toca, como soy un besugo, y los besugos nacemos para ser comidos, lo mismo me da haber caído en las fauces de un tiburón que en la sartén de un hotel.

—Pero yo no soy besugo, gracias a Dios. Y me fastidiaría acabar entre los dientes de un tiburón una vida que puede ser beneficiosa para la humanidad...

El besugo soltó una carcajada estrepitosa. ¡Tenía gracia aquel muñeco pequeño, insignificante, presumiendo de personaje en el interior de un tiburón!

—Bueno — dijo Pinocho, mirando inquieto a todas partes —; yo quiero salir de aquí, tengo que salir, debo salir. ¿A usted no se le ocurre aconsejarme nada?

—Ya te aconsejé lo único que puedo aconsejarte: que tengas resignación...

Pinocho, acostumbrado ya a la penumbra que reinaba en aquellas profundidades, advirtió algo así como una lucecita allá lejos, hacia la parte de la cola.

—¿Qué hay allí? — preguntó el muñeco.

—No sé — contestó el besugo —. Será el sereno...

—¿El sereno? Iré a verle. A lo mejor, él sabe cómo se puede salir de aquí. ¿No le parece?

—Allá tú, joven. Pero no creo que consigas nada, porque si realmente es un empleado de la casa, quiero decir, del tiburón, no va a privar a éste de la comida que él recoge en sus correrías por el mar...

—Le daré una buena propina para ponerlo de mi parte — contestó muy serio Pinocho.

—¿Una propina? ¿Y de dónde la sacarás? Porque, por lo que veo, no tienes más que el trajecito, los zapatos y el gorro...

Pinocho no se dejaba vencer fácilmente, y aunque las palabras del besugo parecían no tener réplica, él la halló en seguida:

—Le daré..., le daré... un abrazo y un beso. Como seguramente es una buena persona, se contentará con eso. Bueno, por de pronto, voy a verle y a tratar de convencerlo. Si me da alguna buena noticia, vendré a comunicársela a usted y saldremos juntos. ¿Eh?

—Gracias por la buena intención, chico. Pero ya te he dicho que no tengo ningún interés en salir de aquí.

—Hasta luego, hasta luego — gritó Pinocho alejándose en dirección a la lucecita que acababa de descubrir.

El besugo se quedó moviendo la cola con pesar y murmurando entre dientes:

—¡Bien se ve que el pobrecito no sabe en qué estómago ha caído!

¡Qué larguísimo era aquel bicharraco! Desde la boca hasta el sitio en que quedaba el besugo, había... No quisiéramos mentir; pero había, cuando menos, media legua. Y desde allí hasta el lugar en que se veía la luz debía de haber poco menos. Realmente, no vendría mal en aquellas profundidades un tranvía...

Así iba pensando Pinocho según se acercaba al «sereno». Sus pies chapaleaban en una especie de barro sobre el cual había una capa de agua con grandes manchones de aceite. ¡Qué falta de limpieza se notaba por todas partes!

De la parte alta, como si dijéramos, del techo, pendían telas de araña grandes como cortinas. Las paredes no tenían ninguna clase de enlucido. Olía a cocina de hotel barato. Y luego, ¡aquella falta de alumbrado!... Cada paso era un tropezón. No se veía más allá de las narices. ¡La verdad era que el tiburón bien podía pensar un poco menos en asustar a los niños y un poco más en higienizarse y ponerse presentable para las visitas, aunque fuesen forzosas!

Si Pinocho mandase en el mundo, lo primero que haría sería poner una escuela para tiburones, en la que les enseñaría a limpiarse los dientes, a amueblarse por dentro, a dar facilidades para el transporte desde la boca al estómago...

Cuando Pinocho llegó al lado del hombre de la luz, creyó que soñaba... ¡Estaba en presencia de Geppetto! Se besaron, se abrazaron una y otra vez; Pinocho refirió detalladamente sus aventuras desde el momento en que vendiera el abecedario, y Geppetto, por su parte, le contó las gestiones que había hecho a fin de encontrarlo y cómo se había lanzado al mar para ir en su busca, heroicidad que el muñeco ya conocía y que tanto había complicado su existencia.

—Bueno — dijo Pinocho —, ahora hay que pensar en salir de aquí.

—¡Oh, no te hagas ilusiones! — replicó el anciano —. De aquí no saldremos jamás. Tú no sabes bien lo que es capaz de hacer el monstruo en cuyo interior nos hallamos. Yo lo he visto un día atrapar un barco con toda su tripulación. Con el palo mayor se hizo un escarbadientes, ¡calcula! Como los marineros eran gente joven y sana, se los fué masticando poco a poco. A mí me dejó para cuando se le acabasen las provisiones. Ahora creo que no tardaré en seguir el camino de aquellos muchachos... Lo que siento es que tú hayas caído también en el estómago del tiburón... ¡Pobrecito Pinocho!

Pinocho se golpeó las manos con fuerza.

—No, no y no — dijo —. De aquí tenemos que salir, sea como fuere y cueste lo que costare. Pero ahora vamos a descansar un rato, para adquirir fuerzas, y luego ya veremos lo que se puede hacer.

Descansó Pinocho, pero no Geppetto, que lo estuvo velando con el afán de un verdadero padre, y cuando aquél se despertó, pusiéronse de nuevo a cambiar impresiones. Llamaron a su conciliábulo al besugo, y éste accedió al fin a secundarlos en su tentativa de evasión.

Puestos de acuerdo, los tres avanzaron hacia la boca del monstruo, que estaba abierta, sin duda porque el animal era algo asmático y tenía que tragar el aire en grandes cantidades.

Por la respiración del gigantesco pez comprendieron que éste se hallaba profundamente dormido. Era de noche, según pudieron comprobar los fugitivos al asomarse a los labios del tiburón, pero había luna y el mar estaba tranquilo y calmo.

Cuando llegaron a la parte más avanzada de la boca, Pinocho se agachó delante de Geppetto al mismo tiempo que le decía:

—¡Pronto! ¡Súbete a mis espaldas!

Geppetto obedeció, y entonces, sin el menor titubeo, Pinocho se lanzó al agua y empezó a nadar con todas sus fuerzas.

Geppetto temblaba. Al advertirlo, Pinocho, sin detener un momento su rápida marcha, le gritó:

—¡Animo, ánimo, papito! ¡Pronto llegaremos a tierra!

—Es que no sé si vamos bien, hijo mío — contestó el viejo —. ¡Mira que si nos dirigiésemos a alta mar!

—No te ocupes; para algo tengo las narices desarrolla-

Avanzaron hacia la boca del monstruo.

das... Desde aquí huelo la tierra. Ya verás cómo vamos bien...

Todo esto lo decía Pinocho para darle ánimo a Geppetto, pero la verdad era que el muñeco no sabía si nadaba hacia la playa o hacia alta mar. Mas lo que en aquellos momentos interesaba era alejarse del tiburón, el cual parecía no haberse enterado de la fuga. Lo malo fué que el muñeco se fió demasiado en sus fuerzas. Geppetto no era muy pesado, la verdad sea dicha, pero Pinocho tenía más ánimo que poder. Hacía esfuerzos enormes para avanzar, para que el cansancio no lo venciese, para salir airoso de aquella empresa, la más seria de cuantas había acometido en su corta, pero ya azarosa vida.

—¿Me bajo, Pinocho?—le preguntó en determinado momento Geppetto, dándose cuenta de los esfuerzos del valiente muñeco.

—No, ahora no... Ya veremos más adelante...

En esto, los dos fugitivos sintieron que detrás de ellos alguien nadaba velozmente. Y, claro está, lo primero que pensaron fué que era el tiburón.

No se atrevieron a mirar atrás, por miedo de encontrarse otra vez con las fauces inmensas del rey de los tiburones. De pronto oyeron decir:

—¡Eh! ¿Qué tal va?

Era el besugo que habían conocido en el estómago del monstruo, y del cual se habían olvidado, en el afán de ponerse cuanto antes fuera del alcance de quien les había prestado tan incómodo albergue.

—Vamos bien—contestó Pinocho—. Un poquito cansados, pero no es nada...

—No le haga caso, señor besugo—intervino Geppetto—. El pobrecito va reventando conmigo a cuestas, pero no se queja porque es muy bueno.

—¿Sabe usted lo que podía hacer?—preguntó Pinocho volviendo la cara hacia el besugo, que nadaba a su lado.

—¿Qué?

—Darnos un remolque.

—Pero, ¡encantado! Vaya, agárrense a mi cola y yo los llevaré hasta la playa.

Sin hacerse de rogar, Geppetto y Pinocho se agarraron a la cola del besugo, y éste, que era joven y robusto, continuó su marcha como si tal cosa.

Poco después, padre e hijo no iban ya agarrados a la cola, sino en el mismo lomo del pez. Así siguieron aún bastante rato, el besugo nadando a todo nadar, y los dos viajeros, encantados de la buena suerte que, dentro de su desgracia, habían tenido.

Empezaba a amanecer; la luna se había escondido, sin duda para que no la viese el sol, que anunciaba su aparición con algunos rayos que asomaban en el horizonte. De pronto, Pinocho, poniéndose de pie sobre el lomo del besugo y agitando su gorrito, gritó entusiasmado:

—¡Tierra!

El besugo siguió nadando incansablemente, sintiéndose muy alegre por haber contribuído a la salvación de aquellos dos infelices.

—Empiezo a tocar fondo — anunció al poco rato —. Prepárense para descender.

Efectivamente, muy poco tiempo despues, el besugo se detuvo de golpe, y Pinocho y Geppetto, que iban de pie, cayeron sobre el lomo de su salvador.

—Bueno — dijo éste —; ahora no tienen más que dar unos pasos en el agua. . . Yo no puedo seguir más adelante.

Pinocho ayudó a Geppetto a descender, y sosteniéndole por debajo de los brazos le ayudó a llegar a la playa. Ya en seco, el anciano y el muñeco se volvieron para decir adiós al besugo y desearle buena suerte.

—Bueno — dijo Geppetto, en cuanto se alejó el pez—, ¿y qué hacemos ahora?

Pinocho tomó de la mano al que le había dado el ser, y así juntos avanzaron hacia el interior del país en que se hallaban, que no sabían cuál era ni lo que para ellos tenía reservado.

Se internaron por un camino a cuyo final se veían algunas casas, y al llegar cerca de éstas vieron sentados en unas piedras, en actitud de solicitar limosna, a una pareja de sujetos que Pinocho reconoció al instante. Eran el zorro y el gato que le habían engañado con el cuento del árbol que producía monedas de oro.

Pinocho, al verlos, quiso dar la vuelta; pero al advertir esto, el zorro dejó oír su voz doliente:

—No huyas de nosotros, Pinochito. Mira en qué estado nos hallamos y compadécete de nosotros. ¡Estamos en la mayor miseria!

Pinocho reparó entonces en ellos con mayor atención, y vió que, en efecto, se hallaban en un estado lamentable; tenían cara de hambre, sus movimientos eran torpes y en todo delataban una gran desnutrición y la mayor necesidad. El gato movía torpemente las manos delante de la cara, con ese ademán característico de los ciegos; y en cuanto al zorro, carecía de cola, de manera que presentaba un aspecto verdaderamente ridículo.

—¡Aun se atreven a hablarme! — murmuró Pinocho, conteniendo su indignación.

—¿Quiénes son? — le preguntó Geppetto en voz baja.

Antes de que pudiese contestarle, el zorro se inclinó ante él pasándose una garra por los ojos como para limpiarse una lágrima, al mismo tiempo que decía:

—*No seas cruel con nosotros...*

—¡Por favor, Pinochito! No seas cruel con nosotros. Hemos sufrido muchas desgracias y ya ves que estamos reducidos a la mayor miseria. Yo he tenido que vender la cola, que era mi mayor orgullo. Ahora, ni siquiera puedo espantarme las moscas...

—Le está bien empleado, por malo — replicó el muñeco —. ¡Busquen, busquen ahora infelices que quieran ir a plantar monedas al campo de los Buhos!

—¿Quiénes son, Pinocho? — seguía preguntando Geppetto.

—¡Pobre ciego, pobre ciego! — exclamaba mientras tanto el gato, que parecía no haberse enterado de que era Pinocho el que estaba hablando con su compinche.

Geppetto, que había oído de labios de Pinocho, estando en el vientre del tiburón, la historia del robo de las monedas, se dió cuenta entonces de que estaban ante los malvados autores de la estafa, y sin poder contenerse exclamó:

—¿De manera que sois vosotros los canallas que engañaron a mi pequeño? ¡Mereceríais que ahora mismo fuese a dar parte de vosotros a la autoridad! Pero ya tenéis bastante castigo con veros como os veis, pidiendo limosna. Bien dicen que a cada chancho le llega su San Martín... Vámonos, hijito, vámonos; no mires siquiera a esos dos malvados...

Y al decir esto agarró de la mano a Pinocho y trató de alejarlo de aquel lugar. Pero el muñeco se resistió un momento, porque aun quería decirles algo a los dos perversos sujetos.

Encaróse, pues, con ellos, y sacándoles la lengua les gritó:

—¡Feos!

Después de lanzar este terrible insulto a la cara de

los que tan canallescamente se habían portado con él, echó a andar, muy satisfecho, al lado de Geppetto, que se alejaba a buen paso, tal vez más que por desprecio hacia los dos sujetos, por miedo a alguna violencia de parte de ellos.

Caminaron un buen rato, sin dejar de mirar atrás de cuando en cuando, pues no las llevaban todas consigo, y luego llegaron a las casas que habían divisado desde lejos.

Una de ellas ofrecía un aspecto agradable con sus paredes de ladrillo rojo, su tejado de paja y sus ventanitas pintadas de azul, lo mismo que la puerta.

—Llamemos aquí — indicó Pinocho acercándose a la puerta y golpeando en ella con los nudillos.

—¿Quién llama? — preguntó desde dentro una vocecita muy débil, casi imperceptible.

—Nosotros.

—¿Y quiénes son ustedes? — volvió a decir la voz.

—Somos dos náufragos, padre e hijo; queremos comer algo y descansar, pues estamos hambrientos y cansados.

—Bien, bien; levanten el picaporte y entren...

Los dos náufragos, como había dicho Pinocho, entraron y, después de atravesar un pequeño vestíbulo, se encontraron en una piecita que parecía a propósito para ellos, pues tenía dos sillas alrededor de una mesita, y dos camas con sus ropas, todo muy limpio y ordenado.

Geppetto y Pinocho miraron a todas partes, pero no vieron a nadie.

—¿Estará encantada esta casa? — dijo Pinocho en voz baja.

—¡Hola! — gritó Geppetto —. ¿Quién está aquí? ¿No hay nadie?

—Hay, hay — dijo la voz que habían oído antes —. Miren hacia arriba...

Los dos obedecieron.

Y después de estar bastante rato buscando con los ojos, consiguieron ver en una de las vigas al Grillo hablador, que los saludaba haciendo «cri-cri» con sus alitas.

—¡Oh! — exclamó Pinocho —. ¿Eres tú, Grillito?

El Grillo hablador dejó quietas las alas, y con un tonillo irónico contestó:

—Sí, soy el Grillito, soy...

Geppetto, que no conocía al Grillo, le preguntó en voz baja a Pinocho:

—¿Quién es éste? ¿Es de la misma calaña del zorro y del gato?

El muñeco, azorado, movió la cabeza negativamente:

—¡No! ¡Qué esperanza!

El Grillo hablador bajó de la viga con gran agilidad, y cuando estuvo al lado de sus huéspedes, saludó a Geppetto con mucha deferencia, sin dejar de mirar de reojo al muñeco, quien estaba cada vez más turbado.

—¿Es tuya esta casita? — preguntó Pinocho, por decir algo —. ¡Qué linda es!

—Sí, muy linda... — dijo el Grillo con indiferencia.

—¿Y hace mucho que vives en ella?

—No, hace poco...

—Te habrá costado bastante...

—Nada. Es un regalo. La construyó para mí una jovencita que pasó no hace mucho por estos lugares, diciendo: «¡Pobre Pinocho! ¡Lo ha devorado un tiburón!» Sin duda era alguna nueva travesura tuya, pues te veo vivo y sano.

—¿Una jovencita? — preguntó Pinocho, sin hacer caso de las últimas palabras del Grillo hablador —. ¿La conociste? ¿Era rubia? ¿Qué más te dijo de mí? ¿Hacia dónde iba?

—¡Eh, eh! ¿A qué vienen tantas preguntas? En cambio, aun no me has hecho la que estabas obligado a hacer antes de nada; es decir, si podías estar en mi casa.

Pinocho bajó la cabeza, avergonzado, y murmuró:

—Tienes mucha razón, Grillito. Discúlpame. Comprendo que mi presencia te incomoda, pero te pido por favor que dejes reposar aquí a mi papito hasta que yo resuelva lo que se puede hacer para regresar a nuestra casa...

El Grillo hablador miró con gesto desdeñoso al muñeco, y agregó en seguida:

—Nunca podrá decir nadie que se marchó de mi casa sin hallar en ella la hospitalidad debida. Mucho menos podrá decirlo un anciano honrado como éste... Pero los que no son ancianos ni honrados...

Pinocho se arrojó a los pies del Grillo, con los ojos llenos de lágrimas:

—¡Perdóname, perdóname! Sé que me he portado muy mal contigo, pero te juro que ya no soy el mismo de antes. He aprendido y sufrido mucho en el mundo... ¡Con decirte que hasta fuí burro!

—¿Estás seguro — preguntó severamente el Grillo — que has dejado de serlo?

Geppetto, que hasta entonces había callado, intervino al fin en favor de su muñequito.

—Perdónele usted, señor Grillo — dijo —. Puede asegurarle que ya no es lo que fué. Como él acaba de decir, el mundo le ha enseñado muchas cosas que su inexperiencia de la vida no le dejaba ver antes...

Pinocho se había echado a llorar, y como no tenía pañuelo, hacía esa cosa tan fea que hacen los niños mal educados: se limpiaba con el dorso de las manos.

—Bueno; basta ya — dijo el Grillo, poniendo una patita sobre la cabeza de Pinocho —. Basta ya. Quedas perdonado, y ojalá sea verdad que has cambiado para siempre. Ahora díganme en qué puedo servirles.

—Si hubiese aquí una copa de leche para mi papá... — se atrevió a decir Pinocho, comprendiendo que lo más urgente de todo era dar algún sustento al pobre anciano.

—No hay en casi ni una sola gota — dijo el Grillo —, pues yo me alimento sólo de verduras. Pero puedo decirte dónde encontrarás toda la que desees. Sigue por esta calle hacia el norte; a unas diez cuadras encontrarás una granja, la de Juanito, y allí hallarás leche de excelente calidad.

Pinocho ayudó a Geppetto a sentarse cómodamente en una de las sillitas que había en la habitación, y en seguida se encaminó a la granja de Juanito. Este era un aldeano egoísta y poco amigo de hacer favores, cosa que él trataba de disimular diciendo que no quería que nadie lo tomase por zonzo.

Cuando se le acercó Pinocho, estaba descortezando una vara de mimbre que de cuando en cuando hacía cimbrear y silbar en el aire.

—¿Es usted por casualidad el papá de Juanito? — preguntó ingenuamente Pinocho, que creía que aquel nombre debía corresponder a un niño.

—Aquí no hay ningún papá de Juanito — replicó el aldeano, mirando a Pinocho de arriba abajo.

—¿Es huérfano?

—¿Quién? ¿Yo? — dijo el hombre haciendo silbar la vara.

—No, señor; Juanito.

—¡Es que Juanito soy yo, idiota!

—¡Ah! Perdone. Yo creía que usted era su hijo; quiero decir, que Juanito no era el padre...

El aldeano volvió a hacer silbar la vara en el aire.

—¿Es que has venido a burlarte de mí, tunante? — gritó —. Pues te advierto que no estoy dispuesto a consentirlo; de modo que ya te estás largando por donde has venido, si no quieres que pruebe esta vara en tus flacas costillas...

Pinocho levantó los brazos sobre la cabeza para protegerse contra el golpe que el irascible Juanito le amagaba.

—¡Quieto, quieto, señor Juanito! — gritó —. Yo no he venido a mofarme de usted ni de nadie. Lo que quiero es comprar una taza de leche para mi papá...

La palabra «comprar» desarmó a Juanito.

—Pero, hijito, ¿por qué no empezaste por ahí? ¿Así que vienes a comprar leche? Muy bien, muy bien. ¿Cuánto dinero traes?...

Al decir esto, alargó la mano para recibir el precio de la venta que apenas empezaba a formalizarse.

Pinocho miró aquella mano, miró luego al hombre a quien correspondía, se miró a sí mismo, y preguntó tontamente:

—¿Dinero? ¿Ha dicho usted dinero?... Pues la verdad es que jamás se me había ocurrido pensar en tal cosa...

—¡Ajá! Así que tú crees que para comprar no hace falta dinero, ¿eh? ¡Vaya, hombre, vaya! ¿Y de dónde sales, que traes esas ideas tan originales?

Pinocho estaba más azorado que nunca. Si fuese una persona podríamos decir que un color se le iba y otro le venía; pero aun no había llegado a serlo, y permanecía con la cara de siempre, aunque la procesión andaba por dentro.

—Verá usted, señor Juanito — dijo, tartamudeando— Yo quería la leche para mi papá, que se halla muy delicado, el pobre. Pero la verdad es que no tenemos ni tanto así de dinero...

Al decir esto señaló el canto de una uña, y luego añadió:

—Así que si el dinero es indispensable, lo siento mucho, muchísimo, pero tengo que volverme a casa con las manos vacías...

Diciendo esto, hizo ademán de volverse por donde había llegado.

El granjero lo detuvo por un brazo.

—Escucha. Tal vez podamos llegar a un arreglo. Tú no tienes dinero, pero puedes trabajar, ¿no es cierto?

—Así es — contestó Pinocho, volviendo a abrigar la esperanza en su pecho —. ¿Qué hay que hacer?

—Poca cosa: sacar agua de la noria hasta llenar el depósito.

—Muy bien; traiga la noria... — indicó Pinocho, que no sabía lo que tal cosa era.

—La noria está allí — dijo el granjero, señalándosela —. Ven conmigo y te unciré a ella.

Pinocho comprendió que le había llegado otra vez la ocasión de «hacer el burro», pues no otra cosa era, en fin de cuentas, el dejarse uncir a la noria y dar vueltas y más vueltas para extraer el agua del pozo; pero, aunque por un momento esa idea le avergonzó, al instante se dominó, recordando que se trataba de llevar alimento al bueno, al generoso Geppetto.

—Vamos allá — dijo al fin.

—Bueno; y quedamos convenidos en eso: tú me llenas el depósito y yo te doy una taza de leche — concluyó el aldeano, como deseando dejar bien claras las condiciones del contrato.

Pocos momentos después, Pinocho estaba tirando de la noria. El sudor empezó a cubrirle el cuerpo, pero él,

El burro movió lentamente la cabeza y murmuró...

pensando en su querido viejecito, no se daba un momento de descanso.

Juanito, viéndole trabajar con tanto afán, no pudo menos de exclamar:

—¡Muy bien, muchacho! Lo haces mejor que mi burro...

—¡Ah! — exclamó Pinocho, sin dejar de trabajar —. ¿Tiene usted un borrico? ¿Y qué, le tocó salir hoy de paseo?

—No; está enfermo, y me temo que el pobre estire la pata de un momento a otro. Ya te llevaré a verlo en cuanto acabes tu tarea.

—No tengo ningún interés en ver un burro enfermo. Pero, en fin, si usted se empeña...

Pinocho siguió trabajando; muchos suspiros, mucho sudor le costó aquella ruda tarea, pero al fin la vió cumplida: ¡el depósito de Juanito estaba lleno!

El granjero, fiel cumplidor de su palabra, en cuanto vió que su depósito estaba rebosante, libró a Pinocho de las correas con que lo había sujetado a la noria, y llevándolo a la cocina, le entregó una jarra llena de fresca y mantecosa leche, recién ordeñada.

—Toma el precio de tu trabajo — le dijo —; la jarra me la devuelves mañana, y siempre que quieras leche, no tienes más que venir a tirar de la noria. Ahora pasa a ver a mi pobre burrito...

Por no decirle que no, se dejó conducir a la cuadra; allí, sobre unos haces de paja, estaba inmóvil un borriquillo que respiraba fatigosamente.

Al verle, Pinocho no pudo contener un gesto de asombro. ¿Sería posible, cielo santo? Se agachó sobre el pobre animal, y temblando de emoción le preguntó al oído:

—¿Eres Cirio?

El burro movió lentamente la cabeza y murmuró:

—¡El mismo, Pinocho querido! Veo que tú te has salvado, y me alegro infinito... No digas a nadie que me has visto en este estado... ¡Adiós, Pinocho!

Este se retiró de allí con el corazón en un puño y los ojos inundados de lágrimas. Juanito, que le había esperado en la puerta y que no había escuchado las palabras cruzadas entre su burro y Pinocho, le preguntó a éste, al verle tan afligido:

—¿Tanto te impresionas por ver un asno enfermo?

—Si usted supiera... — murmuró el muñeco —. ¡Pobrecito!

—¡Demontre! Hablas de él como si se tratase de alguien de tu familia.

—No es de mi familia, pero fué muy amigo mío. Hemos ido juntos a la escuela.

Juanito lanzó una ruidosa carcajada.

—¿Tú fuiste a la escuela de los burros? Ahora me explico por qué sabes tirar tan bien de la noria...

Pinocho no quiso entrar en más explicaciones, y con su jarra de leche en la mano, cuidando de que no se derramase ni una sola gota, regresó a la casa del Grillo, donde éste y Geppetto lo esperaban bastante intranquilos a causa de la tardanza. El muñeco dijo que había tenido que esperar que las vacas de Juanito volviesen de pastar en los prados.

Entonces empezó una nueva vida para Pinocho; una vida de sacrificios y de trabajo, que comenzaba antes del amanecer y no terminaba hasta cerca de medianoche.

Cuidaba a Geppetto con una dedicación ejemplar; le preparaba la comida, se la servía, le ayudaba a salir a la puerta para tomar el sol, pues la permanencia en el estómago del tiburón le había recrudecido un antiguo dolor reumático, y le costaba mucho trabajo caminar solo.

Cuando el anciano quería tomar leche, Pinocho iba a la granja de Juanito, tiraba un rato de la noria, y volvía contentísimo con su jarra llena. En los momentos que le dejaban libre estas ocupaciones, cortaba mimbres, con los que trenzaba preciosas cestillas que luego iba a vender al mercado. De este modo fué juntando algún dinero, cuyo depositario era Geppetto, el cual, como se comprenderá, estaba verdaderamente admirado de aquellas preciosas cualidades que había descubierto en su adorado muñeco.

Por las noches, Pinocho se dedicaba a perfeccionar y aumentar las enseñanzas que había recibido en la escuela. Leía y releía un viejo librote que había encontrado en un rincón, y en los papeles blancos que hallaba en las calles escribía y hacía cuentas, valiéndose para ello de plumas de gallina que le facilitaba su amigo, el granjero Juanito (pues ya se habían hecho amigos), y usando como tintero zumo de moras o bien carboncillos que tomaba de las fogatas que los niños del pueblo encendían en los potreros.

Así fueron pasando los meses. Nuestros dos amigos, que podían disponer a su antojo de la casita del Grillo hablador, y que siempre tenían algunas monedas para cubrir sus escasas necesidades, vivían felices, ni envidiosos ni envidiados, gozando de una paz que para sí la quisieran muchos que se consideran dichosos porque tienen grandes capitales y soberbios palacios.

Un día, Pinocho se dirigió al pueblo para adquirir un gorro, un traje y unos zapatos nuevos, pues aun seguía usando los que Geppetto le hiciera para ir a la escuela.

Se puso a enlazar mimbres.

A pocos pasos de la casa se encontró con un caracol que, al pronto, le pareció persona conocida. Quedóse mirándolo, y a su vez el de la casa a cuestas le clavó los ojos, como si quisiese reconocerle.

—Me parece que le conozco a usted — dijo Pinocho —. ¿Es usted un caracol del país o es forastero?

El caracol frotó sus dos cuernecillos, que es la manera que tienen los caracoles de sonreírse.

—Claro que me conoces. Yo también te conozco. Nosotros nos conocemos...

Y advirtiendo que Pinocho seguía dudando, agregó:

—¿No te acuerdas del portero de la casa del hada, de aquel que te abrió tan pronto cuando tú llamaste, la noche que golpeaste la puerta con los pies y quedaste sujeto por una de las patitas?...

—¡Pero, claro! — gritó Pinocho dándose una palmada en la frente —. Lo que pasa es que los caracoles sois tan parecidos unos a los otros... ¿Y qué haces por aquí? ¿Dónde está el hada? ¿Sigues a su servicio? ¿Puedo ir a verla? ¿Se acuerda aún de mí?

—¡Calma, calma! — contestó el caracol —. Las cosas no se arreglan hablando tanto y tan atropelladamente. Escucha: el hada ha sido internada en una casa de beneficencia; está muy enfermita y tan pobre, tan pobre, que no tiene ni para comprar pan. ¡Yo tengo que pedir para ella!

Pinocho juntó las manos con profundo desconsuelo.

—¿Qué me dices, caracolito? ¿Es posible eso?

—Sí, por desgracia, lo es, hijo mío. Ya ves: no somos nada. Ni los que se tienen por más seguros en la vida pueden decir: en ese hospital no ingresaré. Podemos dar gracias al cielo los que siempre tenemos una casita donde guarecernos...

El muñeco, sin hacer gran caso de tales consideraciones, metió la mano en el bolsillo, donde llevaba las monedas que había de emplear en la renovación de su vestuario, y se las alargó a aquél.

—Toma; dáselas al hada. Que compre lo que más falta le haga. Le dices que se las mando yo. Y mañana, a esta misma hora, espérame aquí, que te traeré más. ¡Pobrecita hada de mi alma! ¡Tan linda, tan linda!...

—Pero este dinero... — murmuró el caracol, mirando con atención las monedas —. ¿De dónde lo has sacado? ¿Es que has ganado a la lotería?

—Ese dinero lo he ganado, para que lo sepas, con el sudor de mi frente; lo llevaba para comprarme un traje. Pero ahora es para ella. ¡Llévaselo, llévaselo corriendo!...

No digamos que el caracol salió corriendo, pero sí con paso bastante acelerado, de modo que dos horas después ya había atravesado hasta la vereda de enfrente.

Pinocho, por su parte, volvió disparando a su casa.

—¿Qué te ha pasado, que vuelves tan pronto? — le preguntó Geppetto.

—Nada, no me ha pasado nada.

Y tomando los mimbres que tenía de reserva, se puso a hacer cestillas con una celeridad pasmosa.

—¿Qué fiebre te ha entrado de trabajar? — insistió Geppetto —. ¿Qué apuro es ése?

—Es un apuro enorme, papito. Tengo que atender a una nueva obligación...

Y sin querer entrar en más detalles, se puso a enlazar mimbres, en cuya operación le sorprendió la medianoche, pese a las indicaciones del anciano, que no cesaba de mandarle que se acostase.

Hizo primores aquella noche. Parecía que una inspiración de artista le guiaba los dedos para hacer aquellos lazos, aquellas estrellas, aquellas asas tan graciosas.

Mientras las hacía, calculaba: «Todo esto lo venderé mañana. Lo menos que sacaré serán diez monedas de plata; en cuanto las tenga en mi poder, iré corriendo a llevárselas al caracol. Así no le resto nada a Geppetto y puedo procurarle algunas comodidades a mi hada querida...»

Cuando dió fin a la tarea que voluntariamente se había impuesto, se echó en la cama y no tardó en quedarse dormido.

—¡Muy bien, muy bien, Pinocho!—sintió que le decía una voz.

Era el hada, que se le aparecía en sueños.

—Tu proceder para con Geppetto—continuó diciendo—y tu acción de hoy con respecto a mí, te redimen de todos tus pecados anteriores. Veo que no me equivoqué al dispensarte mi protección. Mucho me has hecho padecer, mucho has hecho padecer a ese pobre anciano; pero yo no desesperaba; tenía la esperanza de que algún día vería premiados mis esfuerzos. Y ese día ha llegado. Ama a tu padre, a tus amigos, a los ancianos, a los maestros. Estudia, sé juicioso, huye de las malas compañías...

El hada se agachó sobre Pinocho. ¡Qué hermosa la vió entonces el ingenuo muñequito de madera! Sus ojos eran pedazos de cielo, sus cabellos parecían rayos de sol, en la boca brillaba esa sonrisa que sólo puede verse en los labios de los ángeles y de los niños inocentes...

El beso que aquella joven de ensueño dejó sobre la frente de Pinocho le hizo estremecerse hasta lo más profundo se su ser.

Tanto, que hasta le pareció que una profunda trans-

Era el hada, que se le aparecía en sueños.

formación se operaba en él. Pero Pinocho estaba soñando, sin duda.

De todos modos, al despertar sentía algo nuevo en sí, algo como si él fuese otro sin dejar de ser él.

Una alegría hasta entonces nunca sentida le llenaba el corazón, le corría por las venas, lo hacía más optimista, más bueno, «más nuevo» en una palabra.

Se tiró de la cama, y lo primero que observó fué que las paredes del cuarto eran más altas. Todo era más alto, hasta él mismo.

En una silla había un monedero de marfil que nunca había visto. Lo tomó con gran curiosidad. ¿Quién le habría dejado aquel obsequio? Seguramente el generoso Geppetto, que de esa manera quería demostrarle su agradecimiento por las bondades que para él tenía.

Lo abrió: dentro había unas monedas de oro y un papel doblado.

Desdobló a toda prisa el papel, en el que pudo leer (porque ahora, como queda dicho, sabía hacerlo) estas líneas, escritas con tinta azul:

«El hada, agradecida al excelente corazón de Pinocho, hace este pequeño obsequio a su simpático y querido ahijado».

Por cada moneda de cobre que Pinocho le había entregado al caracol, el hada devolvía una moneda de oro brillante como el sol. Entonces... ¡eso quería decir que el hada no estaba pobre, que valiéndose del caracol le había hecho llegar aquella mala noticia simplemente para ponerlo a prueba!...

Pinocho se puso contentísimo y empezó a dar saltos a lo largo y a lo ancho de la habitación. En esto advirtió que delante de él, dando también saltos, había un niño como él hubiera querido ser: gordito, lindo, de carne y hueso, con cabellos y orejas de verdad y sin sus horribles narizotas...

Se dirigió a él para preguntarle por qué se hallaba allí, y el niño avanzó hacia él haciendo el mismo gesto. Se detuvo Pinocho; el niño se detuvo. Movió Pinocho la cabeza como diciendo: «¡Qué atrevido!» Y el niño la movió también, como si dijese: «¡Qué importuno!»

Avanzó Pinocho hacia el intruso, bastante incomodado ya. Y el intruso avanzó hacia él...

¡Qué trabajo le costaba a Pinocho reconocer que aquel que hacía todo lo que él estaba haciendo era ÉL MISMO!

Pero, al fin, se convenció de que se estaba viendo en un espejo, de que aquel lindo niño «de verdad», era él y no otro.

—¡Soy yo! ¡Soy yo!... — gritó con una alegría que llenó sus ojos de lágrimas, que le puso un nudo en la garganta, impidiéndole decir más que eso:

—¡Soy yo! ¡Soy yo!

Pinocho acababa de ser transformado en niño.

. . . .

En la misma silla en que acababa de encontrar el monedero de marfil con las monedas de oro, encontró también un traje nuevo, planchado, a su medida, y además una par de zapatos, no de corteza de árbol, sino de cuero, lustrados, brillantes, y una gorrita tan flamante como las otras prendas.

Se puso el traje, los zapatos y la gorra, después de lavarse a conciencia (¡y qué gusto le daba pasarse las manos por los sonrosados carrillos!) y en seguida salió del cuarto para darle a Geppetto la alegría de que le viese hecho todo un hombre.

Fué a la habitación del anciano, contando encontrarlo, como todos los días, decaído, sin ánimo para nada.

Pero Geppetto no estaba allí.

Pinocho sintió ruido de herramientas en el patio. Hacia allá fué. ¡Qué sorpresa se llevó al ver al anciano, rejuvenecido, fuerte, desbastando con un hacha unos trozos de madera, mientras canturreaba una de las canciones que había aprendido en su niñez y que tanto tiempo hacía que no brotaban de sus labios!

—¡Papito! — gritó Pinocho —. ¡Mírame!

Geppetto alzó la cabeza, tiró el hacha a un lado y abriendo los brazos recibió en ellos a su muñequito adorado, que ya no era tal muñequito, sino un hermoso muchacho lleno de salud y de alegría.

—¡Hijo mío! ¡Hijo mío! — murmuraba el anciano —. Ahora sí que vamos a ser felices, pues el haberte convertido en niño es señal de que el cielo considera que eres bueno y digno de andar entre los hombres.

—Pero... ¿quién ha conseguido todo esto? — preguntó Pinocho.

—¿Quién, preguntas? Tú, tú solo, porque la bondad hace estos milagros, y tú fuiste bueno, muy bueno.

—Pero el hada...

—El hada no era otra cosa que tu propia conciencia.

Pinocho, colgado del cuello de Geppetto, no se cansaba de besarlo y acariciarlo. De pronto se puso serio y preguntó:

—¿Y el Pinocho de madera?

Geppetto señaló hacia una silla que había al lado:

—Ahí lo tienes...

Era un pequeño montón de madera, papel y corteza de árbol. Las piernas que tanto habían saltado y corrido colgaban sin vida; la cabeza en que habían nacido tantas travesuras permanecía doblada sobre el pecho, inerte, muerta...

Pinocho miró el muñeco un momento, y luego, moviendo la cabeza, exclamó:

—¡Qué figura tan ridícula tenía yo! ¡Y qué contentísimo estoy de verme convertido en un niño de verdad!

FIN

DE

PINOCHO

ESTA EDICIÓN SE TERMINÓ DE IMPRIMIR
EL 28 DE MAYO DEL 2001
EN IMPRESORA ROMA, S.A.
TOMÁS VÁZQUEZ No. 152,
COL. AMPLIACIÓN MODERNA
08220, MÉXICO, D.F.